THE BIG FESTIVAL SONGBOOK

A&E
GOLDFRAPP 02

ALL THE SMALL THINGS
BLINK 182 04

AND I WAS A BOY FROM SCHOOL
HOT CHIP 06

BASKET CASE
GREEN DAY 09

CAUGHT BY THE RIVER
DOVES 12

DON'T LEAVE
FAITHLESS 24

DON'T LOOK BACK INTO THE SUN
THE LIBERTINES 14

DON'T YOU WANT ME
HUMAN LEAGUE 16

DREADLOCK HOLIDAY
10CC 18

DREAMING OF YOU
THE CORAL 22

EMPIRE STATE OF MIND (PART 1)
JAY-Z FEAT. ALICIA KEYS 27

FIRE
KASABIAN 30

FOR ONCE IN MY LIFE
STEVIE WONDER 36

FOUNDATIONS
KATE NASH 33

HANDBAGS AND GLADRAGS
STEREOPHONICS 40

HOLE IN THE HEAD
SUGABABES 42

HOLIDAY
DIZZEE RASCAL 45

HOLLYWOOD
MARINA & THE DIAMONDS 52

HOWL
FLORENCE & THE MACHINE 48

I AM A CIDER DRINKER
THE WURZELS 58

I DON'T WANT TO MISS A THING
AEROSMITH 55

I WISH YOU WELL
CARA DILLON 60

I'M GONNA BE (500 MILES)
THE PROCLAIMERS 63

LAST NITE
THE STROKES 66

LETTER FROM AMERICA
THE PROCLAIMERS 68

MAKE ME SMILE (COME UP AND SEE ME)
STEVE HARLEY & COCKNEY REBEL 70

MARLENE ON THE WALL
SUZANNE VEGA 73

MONSTER
AUTOMATIC 80

MORE THAN THIS
ROXY MUSIC 76

MUNICH
EDITORS 78

NEVER FORGET YOU
NOISETTES 83

ONE WAY
THE LEVELLERS 86

OUR HOUSE
MADNESS 88

PENCIL FULL OF LEAD
PAOLO NUTINI 94

PERFECT DAY
LOU REED 92

PLACE YOUR HANDS
REEF 97

PLEASE DON'T LEAVE ME
PINK 100

PUT YOUR RECORDS ON
CORINNE BAILEY RAE 103

RABBIT HEART (RAISE IT UP)
FLORENCE & THE MACHINE 106

SAY HELLO WAVE GOODBYE
DAVID GRAY 110

SEWN
THE FEELING 112

SHE'S SO LOVELY
SCOUTING FOR GIRLS 120

SOMEDAY
THE STROKES 116

STARRY EYED
ELLIE GOULDING 118

TAINTED LOVE
SOFT CELL 126

THAT'S NOT MY NAME
THE TING TINGS 123

THIS IS THE LIFE
AMY MACDONALD 128

TIE ME KANGEROO DOWN SPORT
ROLF HARRIS 134

TIME IS RUNNING OUT
MUSE 136

TRUE
SPANDAU BALLET 131

TUBTHUMPING
CHUMBAWAMBA 138

UPRISING
MUSE 150

VALERIE
THE ZUTONS 140

WAKE UP
ARCADE FIRE 142

WALK ON THE WILD SIDE
LOU REED 144

WATERLOO SUNSET
RAY DAVIES 146

WE STILL GOT THE TASTE DANCIN' ON OUR TONGUES
WILD BEASTS 148

© 2010 BY FABER MUSIC LTD
FIRST PUBLISHED BY FABER MUSIC LTD IN 2010
BLOOMSBURY HOUSE 74–77 GREAT RUSSELL STREET
LONDON WC1B 3DA

ARRANGED BY OLLY WEEKS
EDITED BY LUCY HOLLIDAY & ALEX DAVIS

PRINTED IN ENGLAND BY CALIGRAVING LTD
ALL RIGHTS RESERVED

ISBN10:0-571-53498-8
EAN13:978-0-571-53498-2

THE TEXT PAPER USED IN THIS PUBLICATION IS A
VIRGIN FIBRE PRODUCT THAT IS MANUFACTURED IN
THE EU. THE WOOD FIBRE USED IS ONLY SOURCED
FROM MANAGED FORESTS USING SUSTAINABLE
FORESTRY PRINCIPLES.THIS PAPER IS 100% RECYCLABLE

REPRODUCING THIS MUSIC IN ANY FORM IS ILLEGAL
AND FORBIDDEN BY THE COPYRIGHT, DESIGNS AND
PATENTS ACT, 1988

TO BUY FABER MUSIC PUBLICATIONS OR TO FIND OUT
ABOUT THE FULL RANGE OF TITLES AVAILABLE,
PLEASE CONTACT YOUR LOCAL MUSIC RETAILER OR
FABER MUSIC SALES ENQUIRIES:

FABER MUSIC LTD, BURNT MILL, ELIZABETH WAY,
HARLOW, CM20 2HX ENGLAND
TEL:+44(0)1279 82 89 82
FAX:+44(0)1279 82 89 83
SALES@FABERMUSIC.COM FABERMUSIC.COM

A & E

Words and Music by Alison Goldfrapp and William Gregory

ALL THE SMALL THINGS

Words and Music by Mark Hoppus and Tom De Longe

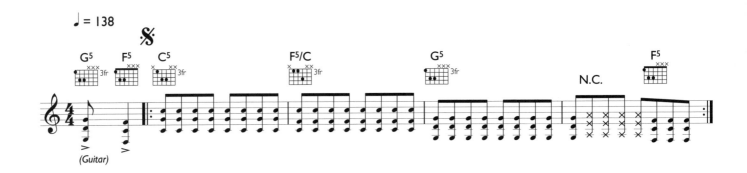

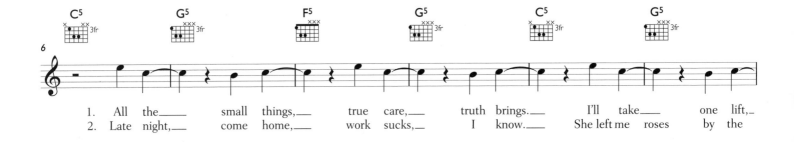

1. All the____ small things,____ true care,____ truth brings.____ I'll take____ one lift,____
2. Late night,____ come home,____ work sucks,____ I know.____ She left me roses by the

omit on 𝄋

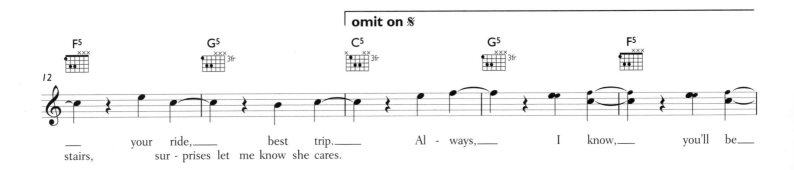

____ your ride,____ best trip.____ Al - ways,____ I know,____ you'll be____
stairs,____ sur - prises let me know she cares.

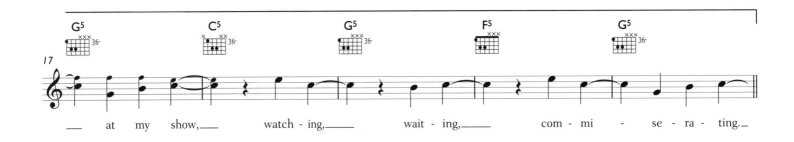

____ at my show,____ watch - ing,____ wait - ing,____ com - mi - se - ra - ting.____

____ Say it ain't so, I will not go, turn the lights off, car - ry me

(Na, na, na, na, na, na,____ na, na, na, na, na, na, na, na, na, na, na,____ na, na, na, na, home.

na, na, na, na, na, na,____ na, na, na, na, na, na, na, na, na, na,____ na, na, na, na.)

(Guitar)

(mill.) Say it ain't so, I will not go, turn the lights off, car - ry me

home, keep your head still, I'll be your thrill, the night will go on, my lit - tle wind -

on, the night will go on, the night will go on, my lit - tle wind - mill.

AND I WAS A BOY FROM SCHOOL

Words and Music by Joseph Goddard and Alexis Taylor

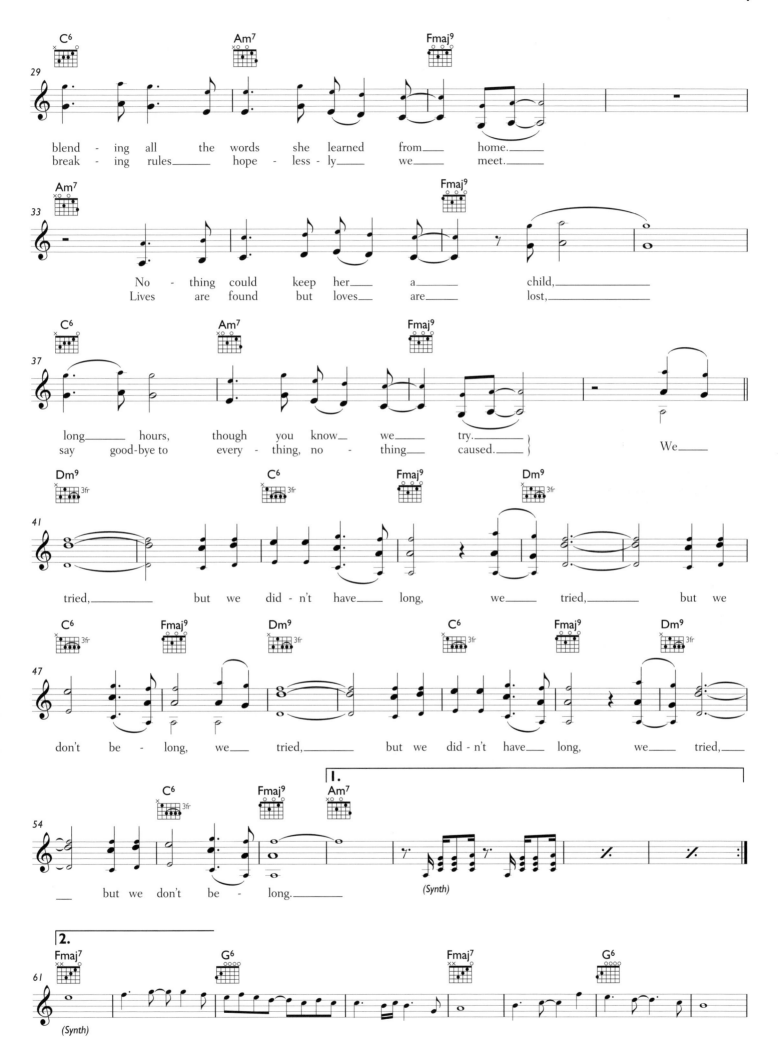

BASKET CASE

**Words and Music by Billie Joe Armstrong,
Michael Pritchard and Frank E. Wright III**

$\quad$ = 168

To play in key of recording, de-tune all strings 1 semitone (song sounds in Eb)

1. Do you have the time to lis-ten to me whine a-
2. went to a shrink to an-a-lyze my dreams, she

- bout no-thing and ev-'ry-thing all at once?
says it's lack of sex that's bring-ing me down. I

I am one of those me-lo-dra-ma-tic fools; neu-
went to a whore, he said my life's a bore. So

- rot-ic, to the bone, no doubt a-bout it.
quit my whin-ing 'cause it's bring-ing her down.

Some-times I give my-self the creeps.

Some-times my mind___ plays tricks_ on_____ me. It

all keeps add - ing up,_____ I_____ think I'm crack - ing up._

To Coda ⊕

_____ Am I just__ pa - ra - noid?_____ 1. Am I just stoned?
2. Uh yeah, yeah, yeah.

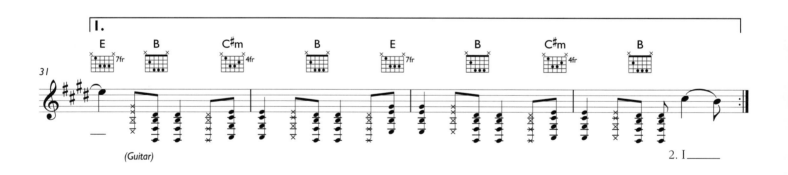

(Guitar) 2. I_____

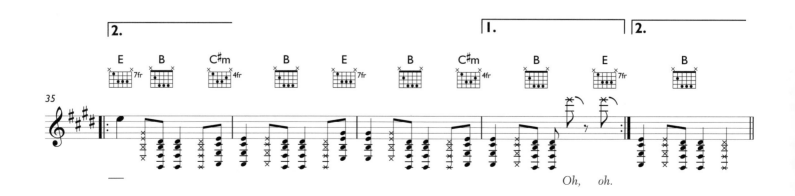

Oh, oh.

Grasp - ing to con - trol so I bet-ter hold_____ on._____

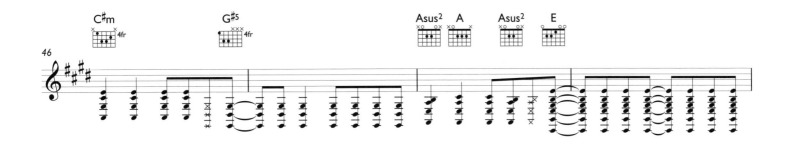

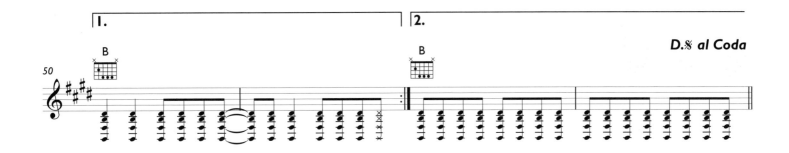

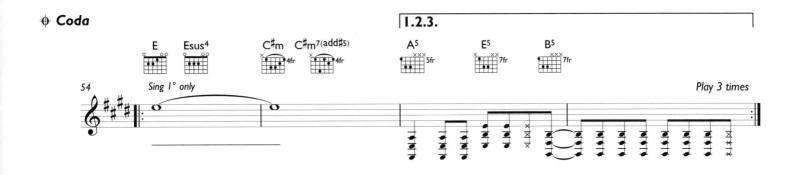

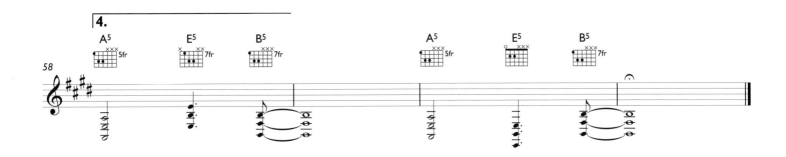

CAUGHT BY THE RIVER

Words and Music by Jimi Goodwin, Jez Williams and Andy Williams

DON'T LOOK BACK INTO THE SUN

Words and Music by Peter Doherty and Carl Barat

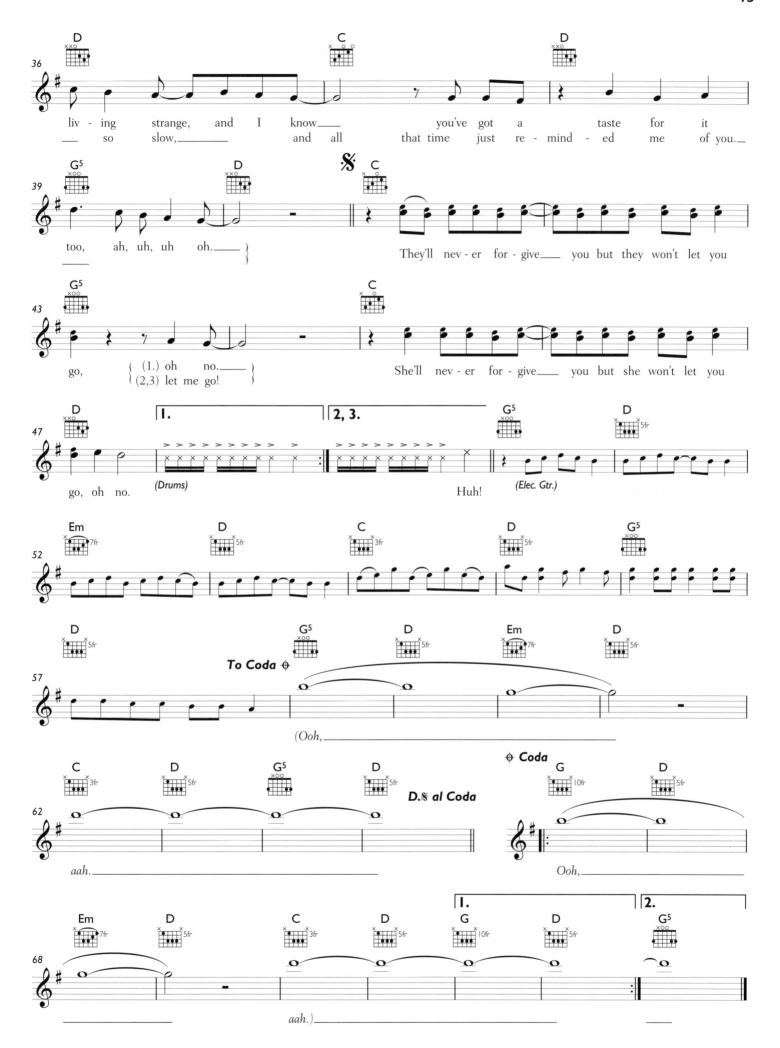

DON'T YOU WANT ME

Words and Music by Philip Oakey, Adrian Wright and Jo Callis

DREADLOCK HOLIDAY

Words and Music by Graham Gouldman and Eric Stewart

Reggae ♩ = 105

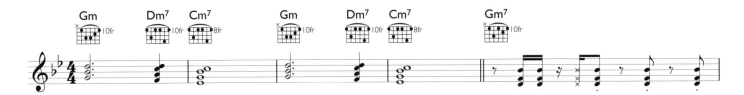

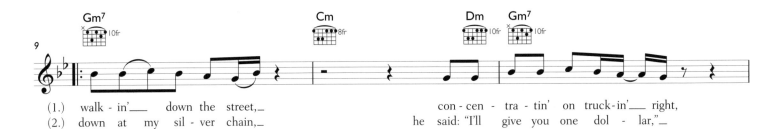

(1.) walk - in'___ down the street,___ con - cen - tra - tin' on truck-in'___ right,
(2.) down at my sil - ver chain,___ he said: "I'll give you one dol - lar,"___

I heard a dark voice be - side of me,_____ (ah - huh) and I looked
I said, "You got to be jok - in' man,_____ it was a

round in a state of fright.___ I saw four fac - es, one mad, a
pres - ent from me Moth - er." He said, "I like it, I want it, I'll

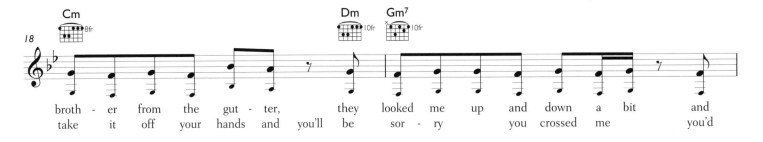

broth - er from the gut - ter, they looked me up and down a bit and
take it off your hands and you'll be sor - ry you crossed me you'd

20

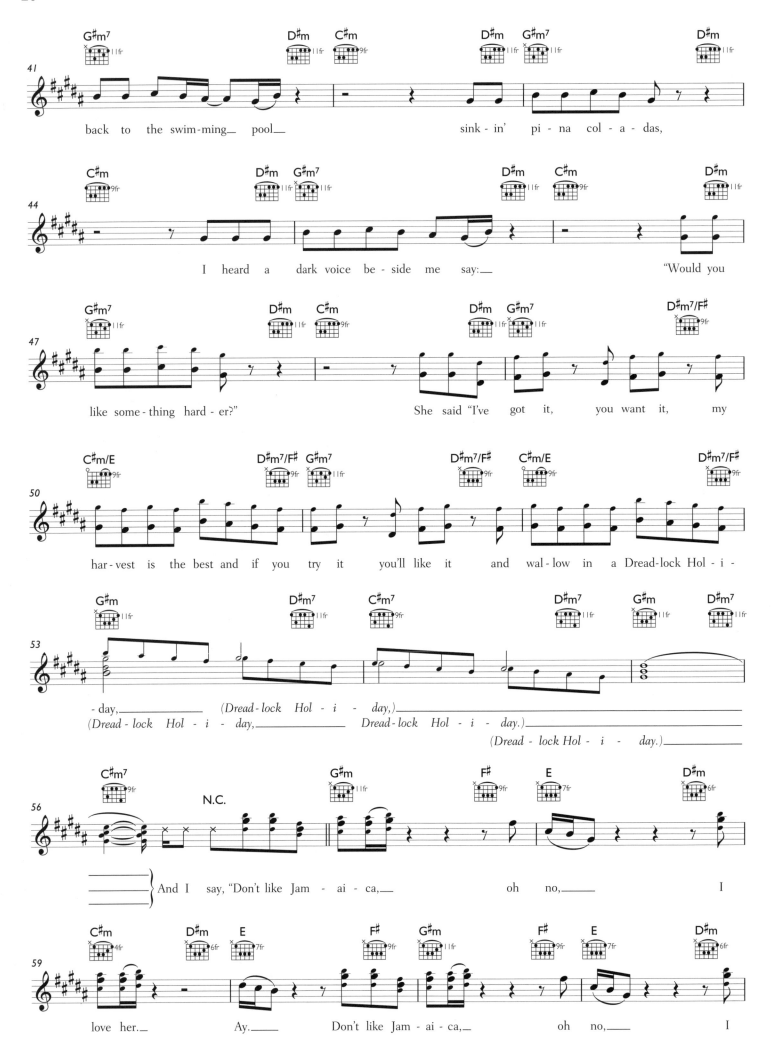

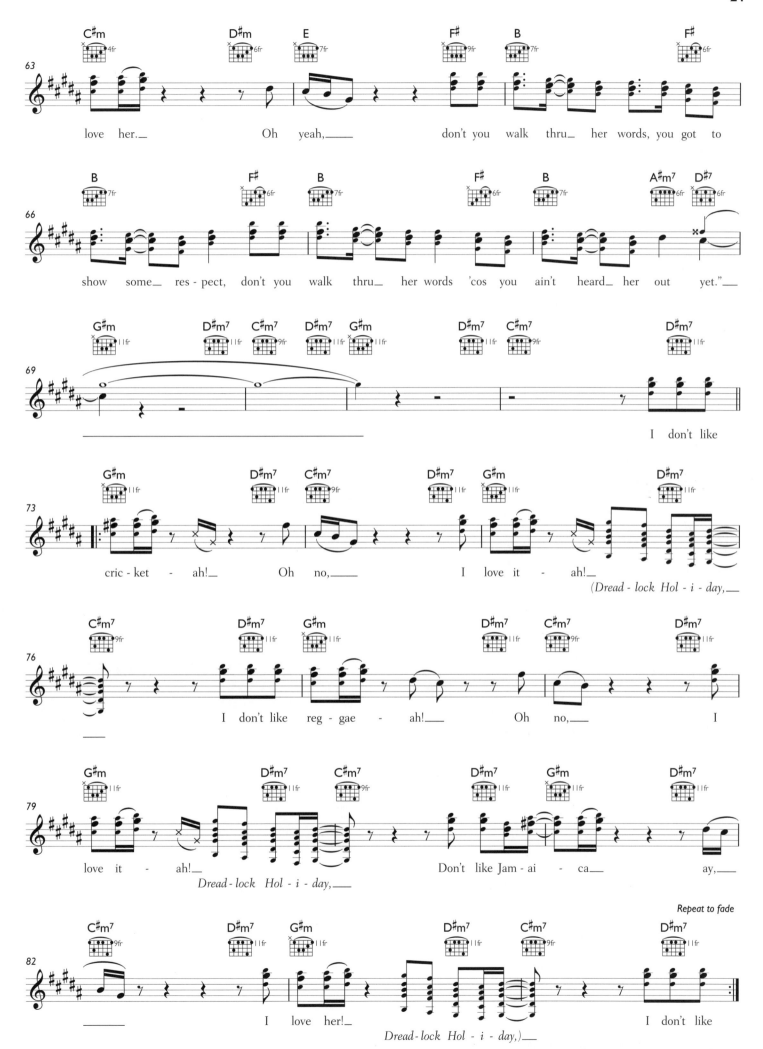

DREAMING OF YOU

Words and Music by James Skelly

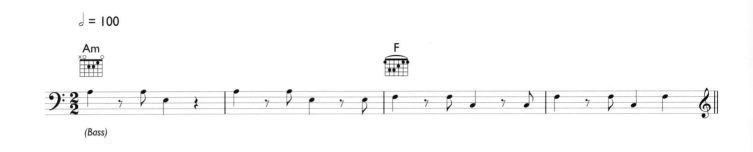

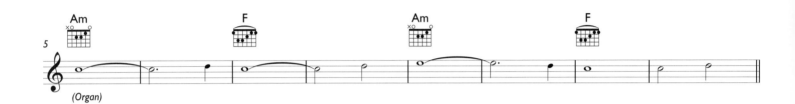

(Organ)

1.	It's	up____	in	my	heart	when	it	skips a beat,____
2.		When I'm____	down	and	my	hands	are	tied,____
3.		From this____	pain	I	just	can't	dis -	guise,____

𝄇 (*Instrumental*)

can't	feel	no	pave -	ment____	right	un -	der____	my____	feet.
I	can - not	reach a	pen____	for	me	to	draw____	the	line.
it's	gon - na	hurt	but____	I'll	have	to	say____	good -	bye.

Up in____ my lone - ly room   when I'm dream - ing____ of you,   oh, what can I do?____

I still need you— but I don't want you— now. (Guitar) To Coda

1.
(Organ)

2.
(Guitar) Oh, yeah. D.𝄋 al Coda

Coda
(Oh,_____ oh,_____ oh.)_____

Up in— my lone - ly room when I'm dream - ing— of you, oh, what can I do?—

I still need you— but I don't want you— now. (Guitar)

DON'T LEAVE

Words and Music by Ayalah Bentovim,
Jamie Catto and Rollo Armstrong

1.

you got me hurt-ing, don't leave,   you know it's nev - er been ea -

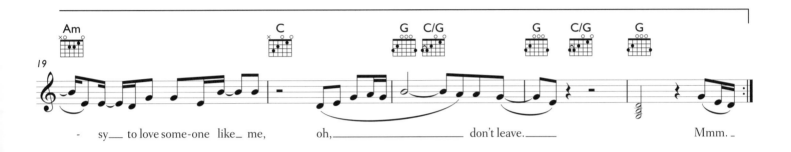

- sy __ to love some-one like __ me,   oh, _____ don't leave. _____   Mmm. _

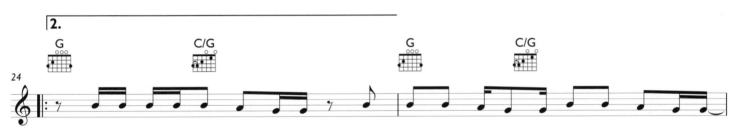

2.

3. There's a re - cord you used to play,   there's Jo - ni sing - ing, 'The bed's too big with - out __
4. We'll fly a - round the world,   give you what you're giving me, __

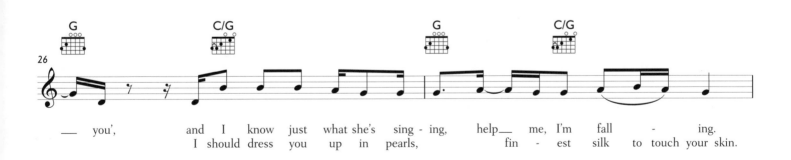

__ you',   and I know just what she's sing - ing,   help __ me, I'm fall - ing.
I should dress you up in pearls,   fin - est silk to touch your skin.

Where did all __ the love __ go,   where's the love __ gone to? __ }   Don't leave,
Don't know __ how to write a   love _____ song.

EMPIRE STATE OF MIND (PART I)

Words and Music by Sylvia Robinson, Bert Keyes, Shawn Carter,
Angela Hunte, Alicia Augello-Cook, Janet Sewell and Al Shuckburgh

♩ = 84

Tune guitar down a semitone
(Song sounds in G♭)

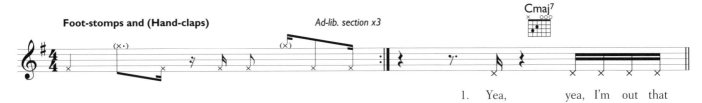

1. Yea,   yea, I'm out that

Brook-lyn, now I'm down in Tri - Be - Ca, right next to De - ni - ro, but I'll be hood for - e - ver, I'm the new Si -
(2.) X with O.G. at a Yankee game, shit, I made the Yan-kee hat more fa-mous than a Yan-kee can, you should know I
3. Lights is blind - ing,— girls needs blind - ers so they can step out of bounds quick, the side - lines— is—

-na - tra, and... since I made it here, I can make it a - ny-where, yea, they love me ev'-ry-where. I used to cop in
bleed blue, but I ain't a Crip_though, but I got a gang of niggas walk-in' with my clique though, wel-come to the
lined with casualties, who sip to life ca-sual-ly, then grad-ual-ly be - come worse,— don't bite the ap - ple leaf.—

Har - lem, all of my Do-mi - ni - ca-no's right there up on Broad-way, pull me back to that Mac-Do-nald's, took it to my
melting pot, cor-ners where we sel-lin' rock, Af - ri-ka Bam-baata shit, home of the hip - hop,— yel-low cab,—
Caught up in the in - crowd, now you're in— style end of the winter gets cold,— en— vogue, with your skin out,—

stash - box, Five-Six-ty State St. catch me in the kit-chen like a Sim-mons with them Pas - try's, crui-sin' down
gypsy cab, dollar cab,— holla back, for for-eign-ers it ain't for, they act like they for - got how to act. Eight_ million
City of sin, it's a pity on the wind.— Good_ girls gone_ bad,— the ci - ty's filled with them.—

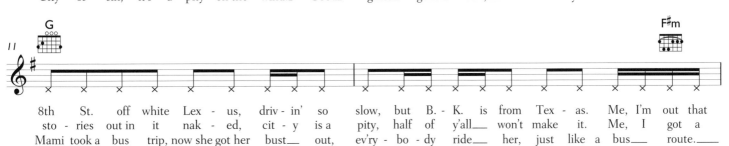

8th St. off white Lex - us, driv-in' so slow, but B. - K. is from Tex-as. Me, I'm out that
sto - ries out in it nak - ed, cit-y is a pity, half of y'all_ won't make it. Me, I got a
Mami took a bus trip, now she got her bust_ out, ev'-ry-bo-dy ride_ her, just like a bus_ route.—

Bed - Stuy, home of that boy Big - gie, now I live on Bill - board and I brought my boys with me. Say whatt - up to
plug, Special Ed "I Got It Made" if Je - sus pay - in' Le - bron, I'm pay - in' Dwayne Wade,____ three_ dice_
__ Hail Mary to the city, you're a vir - gin, and Jesus can't save you, life___ starts when the church end.

Ty - Ty, still sip - pin' Mai Tai's, sit - tin' court - side, Knicks and Nets give me high five, Nig - ga I be
cee - lo, three card__ mol - ly, La - bor Day Parade,__ rest in piece, Bob__ Marley, Sta - tue of
Came here for school, gra - du - ated to the high__ life, ball play - ers, rap stars, ad - dicted to the lime light,__

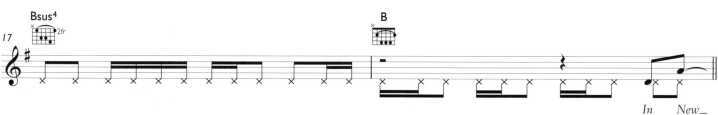

Spike'd out, I could trip a re - fe - ree, tell by my at - ti - tude that I'm most de - fi - nite - ly from...
Liber - ty, long__ live the World Trade, long live the King - dome I'm from the Em - pire State that's...
M - D - M - A___ got you feel - in' like a champ - ion, the cit - y never sleeps, better slip you a Ambi - en.

In New__

__ York,____ I'm be - com - in' where dreams are made____ of, there's no - thin' you can't_

__ do__ out_ of New__ York,___ these streets will make you feel brand__ new, big lights will in - spire

(Repeat x 3)

__ you,__ let's hear it for New__ York, New__ York, New__ York.___

2. Catch me at the

One hand in the air for the big cit - y, street lights, big dreams all look - in' pret - ty,

no___ place in the world that could com - pare, put your light - ers in the air, ev - 'ry - bo - dy say___

yeah,_____ yeah,_____ yeah,_____ yeah!___ New___

___ York,_____ I'm be - com - in' where dreams are made___ of, there's no - thin' you can't___ do___ out___ of New

___ York,_____ these streets will make you feel brand___ new, big lights will in - spire___

___ you,___ let's hear it for New___ York, New___ York, New___ York.___

FIRE

Words and Music by Sergio Pizzorno

and I'm on fire.___

(Lead Gtr.)

2. Wire me up to ma - chines,___ I'll be your pri - son - er,

find it hard to be - lieve,___ you are my mur - der - er, I'm on___ fi -

- - re, look be - hind,___ you, there's a fall - ing sky.___ I'm on fi-

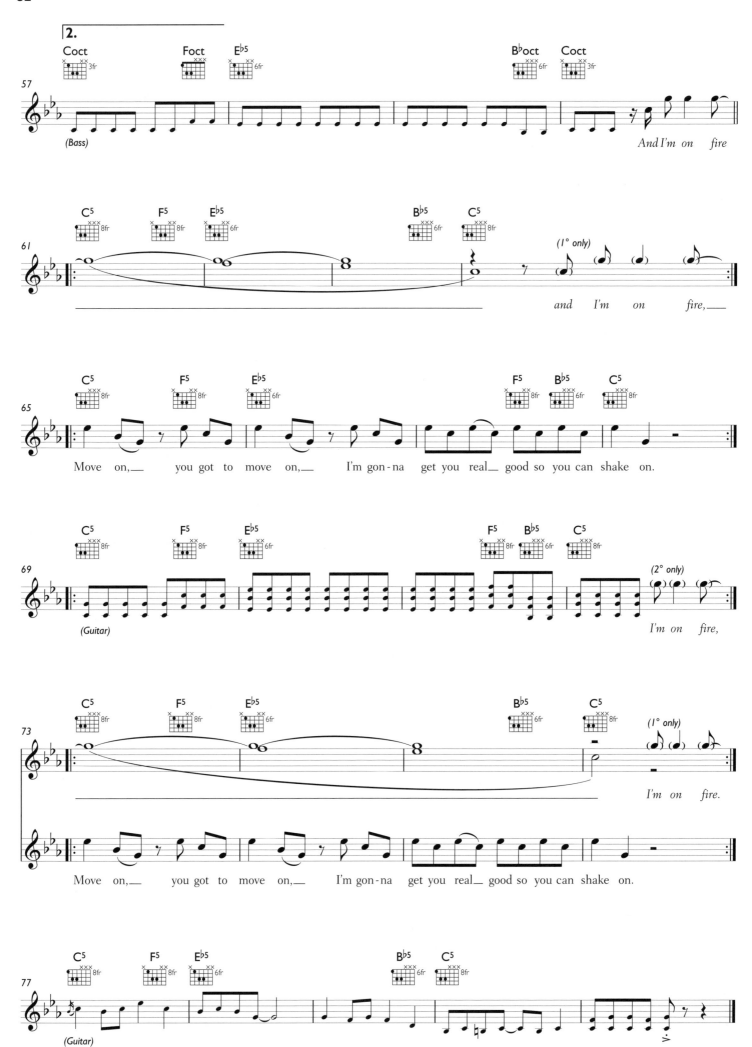

FOUNDATIONS

Words and Music by Paul Epworth and Kate Nash

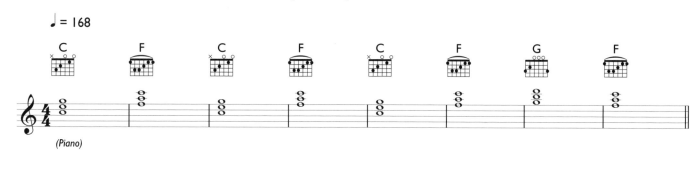

(Piano)

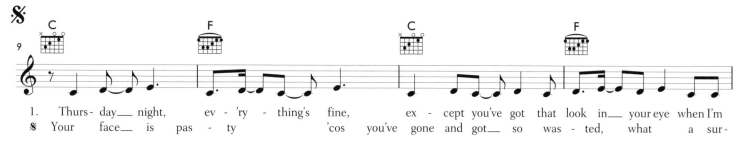

1. Thurs- day_ night, ev- 'ry - thing's fine, ex - cept you've got that look in_ your eye when I'm
%. Your face_ is pas- ty 'cos you've gone and got_ so was- ted, what a sur-

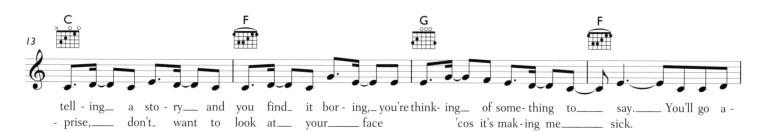

tell - ing_ a sto- ry_ and you find_ it bor- ing,_ you're think- ing_ of some- thing to_ say._ You'll go a -
- prise,_ don't_ want to look at_ your_ face 'cos it's mak- ing me_ sick.

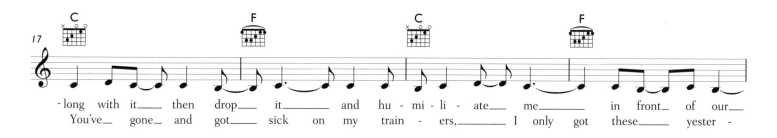

-long with it_ then drop_ it_ and hu - mi - li - ate_ me_ in front_ of our_
You've_ gone_ and got_ sick on my train - ers,_ I only got these_ yester -

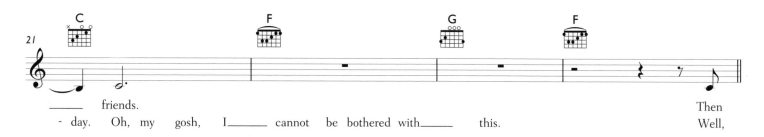

_ friends.
- day. Oh, my gosh, I_ cannot be bothered with_ this.
Then
Well,

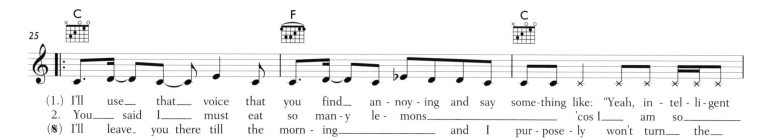

(1.) I'll use_ that_ voice that you find_ an - noy - ing and say some- thing like: "Yeah, in - tel - li -gent
2. You_ said I_ must eat so man- y le - mons_ 'cos I_ am so_
(%) I'll leave_ you there till the morn- ing_ and I pur- pose- ly won't turn_ the_

FOR ONCE IN MY LIFE

Words by Ronald Miller
Music by Orlando Murden

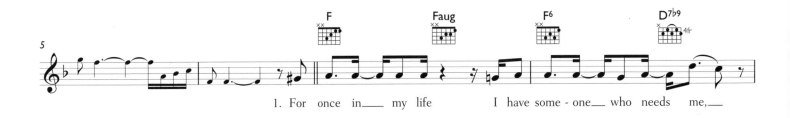

1. For once in__ my life   I have some-one__ who needs   me,__

some-one I need-ed__ so   long.   For once, un-a-fraid,   I can

go   where life leads   me.__   Some-how I know I'll__ be__ strong.__   For

once I__ can touch   what my heart used to dream of__   long be-fore I knew,

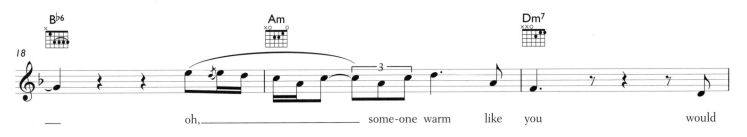

__   oh,_____ some-one warm   like you   would

HANDBAGS AND GLADRAGS

♩ = 68

Words and Music by Michael D'Abo

Guitar capo 1st fret
Chord voicings relate to capoed guitar

HOLE IN THE HEAD

Words and Music by Miranda Cooper, Brian Higgins, Timothy Powell, Nick Coler, Niara Scarlett, Keisha Buchanan, Mutya Buena and Heidi Range

HOLIDAY

**Words and Music by Adam Wiles,
Dylan Mills and Nicholas Detnon**

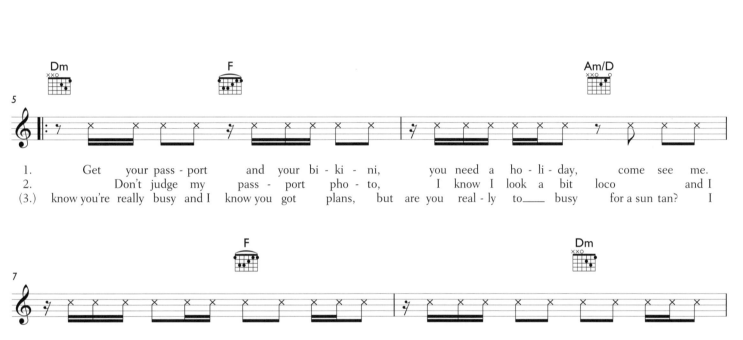

(Synth.)

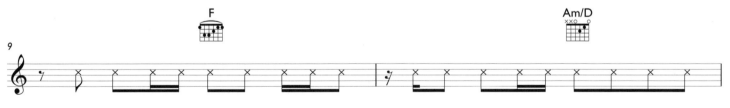

1.   Get   your pass - port   and your bi - ki - ni,   you need a ho - li - day,   come   see   me.
2.   Don't judge my   pass - port   pho - to,   I know I look a bit   loco   and I
(3.) know you're really busy and I   know you got   plans,   but   are you real - ly to___ busy   for a sun tan?   I

I know you're tired   of   the   same   old   sce - ne - ry   and   I   could change all   that   so   ea - si - ly.
know that my Spanish is   so - so,   but let's   try and keep   that on the low - low,___ 'cos we're
ain't   talk - ing 'bout   walk - ing down the high   street,   I'm talking 'bout   laying on a bright, white   beach with a

Go   wild,   but   I'll think   you'll   take   a   chance,   I'll   take   you   to   the   South   of   France, like
going I - bi - za,   I've   got   friends   that   really wanna meet   ya,   with cham - pagne and a
Pina cola - da   or   what - ever   you'd   ra - ther, white   wine? That's fine,   just___ give me   a   lager. Then

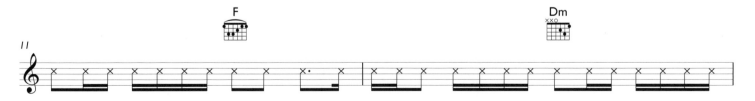

Cannes and if a - ny - bod - y   can,   I   can,   or   we could go   shop - ping in   Mi - lan.   I   just hope you un - der -
whole   lot   of   love.___   It's all   good, dar - ling, a Blue Mar - lin will please ya,   and I'll
af - ter we'll take   a   truck___ to the night spot, the   hot - spot, the   top___ spot,   par - ty   a - round   the clock,

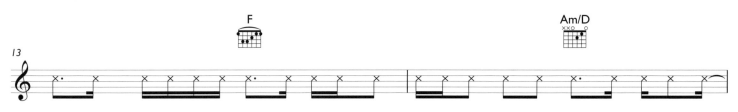

- stand, I hope you see it clear, it real - ly don't mat - ter how far or near. 'Cos there's no dis-
never get your bel - ly get___ empty, ev - en when your bel - ly's full you're still sex - y. We can ride
and when we get there it's strict - ly V. - I. - P., no need for I. - D. secu - rity no

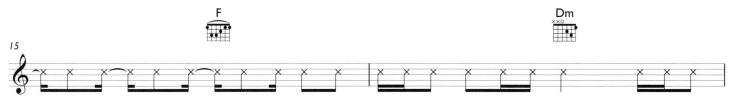

- tance that___ could stop___ my per - sis - tence, just a few days in the year, plus I've got
speed boats,___ we can ride jet - skis, I'll show you the time___ of your life if you let me,_____ I just
need, no_____ wait - ing in line, no_____ high entry fee,___ don't worry 'bout nothing when you're be - side

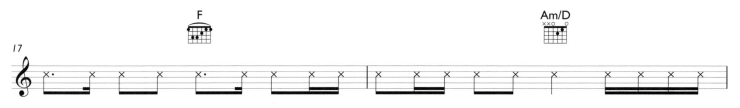

clout, so let's ride out, we ain't got - ta fly, we can just drive out. We can have a
wanna put a smile on your pretty face, if I didn't it would just be a pretty waste, and you
me, I'll get you lively and loosen you up, have a bit of cham - pagne, it'll boost you up, I wan - na

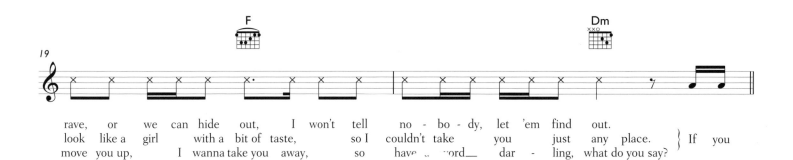

rave, or we can hide out, I won't tell no - bo - dy, let 'em find out.
look like a girl with a bit of taste, so I couldn't take you just any place. } If you
move you up, I wanna take you away, so have a word___ dar - ling, what do you say?

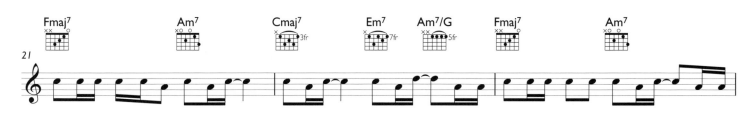

ain't do-ing noth-ing, let's fly a - way, drive a - way, get a - way, we could go to the club or hide a - way, we could

do what you want to, ba - by, if you ain't do-ing noth-ing, let's fly a - way, drive a - way, take a ho - li - day,__ we could

go to the club or hide a - way,__ we could do what you want to, ba - by.__ 3. I

Do what you want to,__ babe,_____ oh,_____ get a-
(Ba - by,__ ba - by, ba - by, ba - by, ba - by, ba - by, ba - by, ba - by,

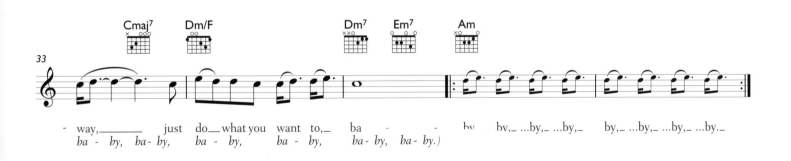

- way,_____ just do__what you want to,__ ba - - by by,_ ...by,_ ...by,_ by,_ ...by,_ ...by,_ ...by.
ba - by, ba - by, ba - by, ba - by, ba - by, ba - by.)

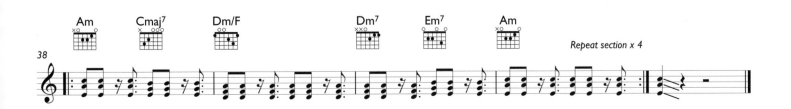

HOWL

Words and Music by Florence Welch and Paul Epworth

HOLLYWOOD

Words and Music by Marina Diamandis

Aerosmith

I DON'T WANT TO MISS A THING
(FROM "ARMAGEDDON")

Words and Music by Diane Warren

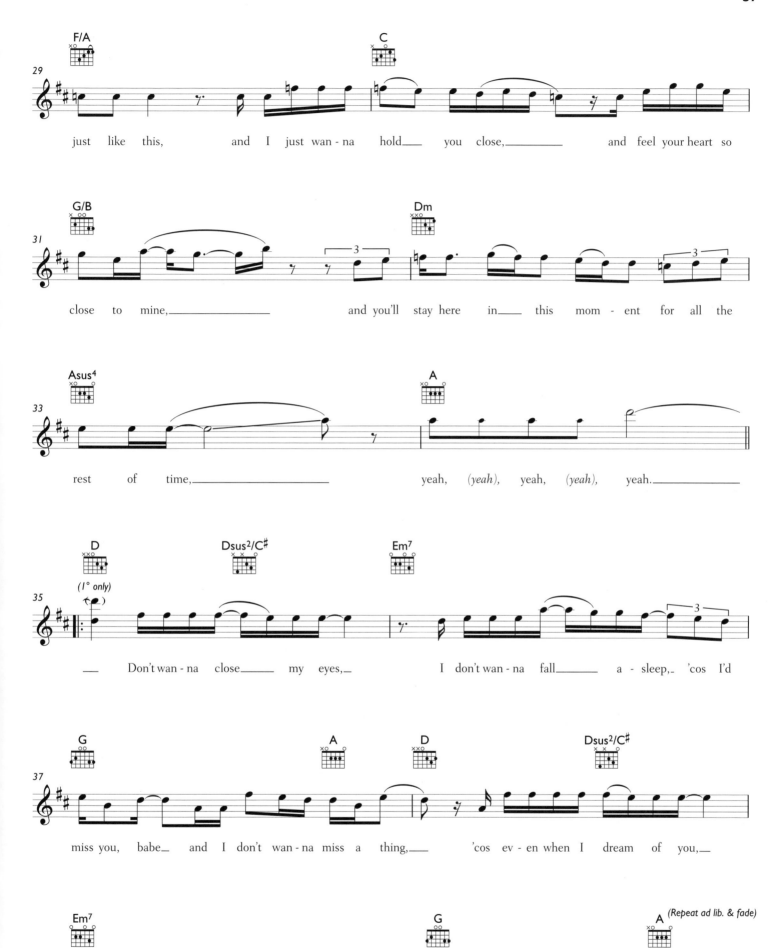

I AM A CIDER DRINKER

Words and Music by Johannes Bouwens

1. When the moon shines_ on the cow shed   and we're rol-ling in the   hay,____   all the
(2.) cos-y_____ in the kit-chen   with the smell of rab-bit   stew.____   When the
(3.) Mabel,_____ when she's able,__   we takes a stroll down Lov-er's   Lane.____   And we'll

cows are out there graz   -   ing   and the milk is on its   way.____
breeze blows_ 'cross the farm-yard   you can smell the cow shed   too.____   When those
sink a pint_ of scrum-py,   then we'll play old na-ture's   game.____   But we

omit 1°

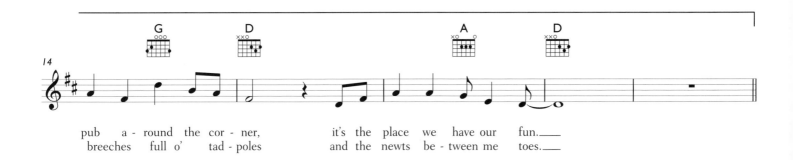

(2.) ___ com-bine wheels stops turn-in'   and the hard day's work is   done,__   there's a
(3.) end__ up in the duck pond   when the pub de-cides to close__   with me

pub a-round the cor   -   ner,   it's the place we have our   fun.__
breeches full o' tad-poles   and the newts be-tween me   toes.__

I WISH YOU WELL

Words and Music by Sam Lakeman and Cara Dillon

♩ = 86

Guitar capo on 3rd fret - song sounds in C minor

(Bar subdivided into: 3 ♩ + 4 ♩)

1. The

leaves fall from the trees like gold_____ and I____ tell you that I____ love you so._____ The

riv - er sings_ it's time_ to go,_____ what____ lies a-head, we'll nev - er know.____ The

sum-mer brings sweet me-mo-ries,_____when we danced all__night on the dust-y streets_____ with an
(2.) kissed un - der the ti - red moon_____ and the stars shone down for me and you._____ We

an - gel watch-ing o - ver me,_____ your_ love has_brought me__ to my knees._____ } Well, I've
lis-tened for the cock to crow,____ oh, come break of day_ you__ had to go._____ }

I'M GONNA BE (500 MILES)

Words and Music by Charles Reid and Craig Reid

LAST NITE

Words and Music by Julian Casablancas

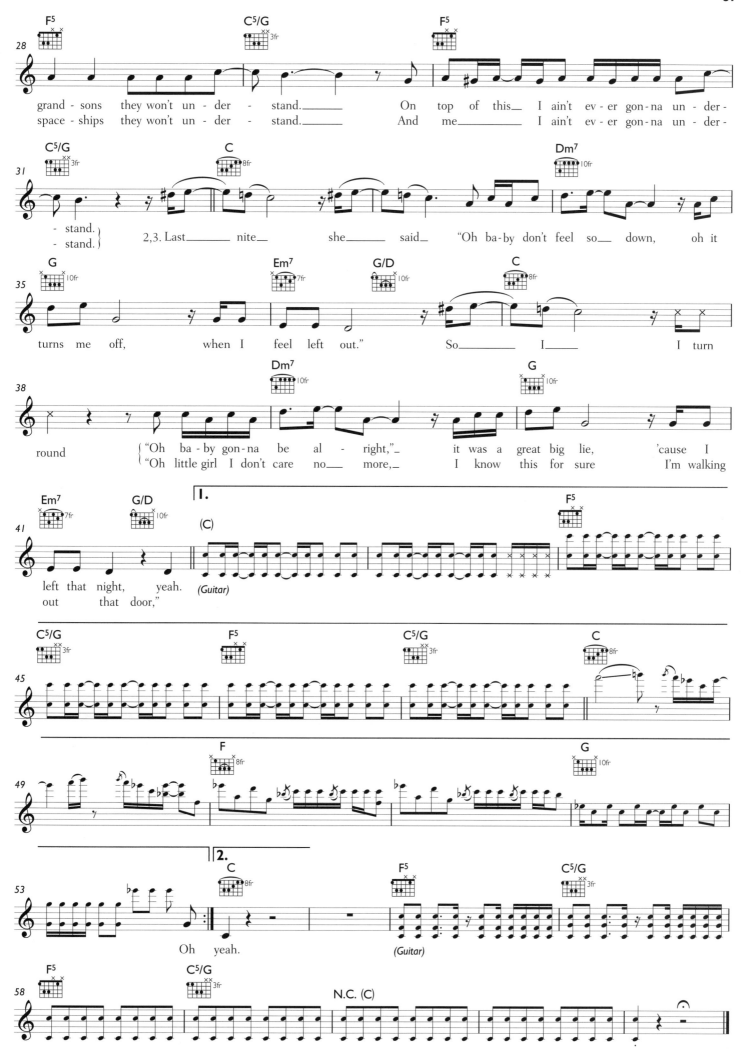

LETTER FROM AMERICA

Words and Music by Charles Reid and Craig Reid

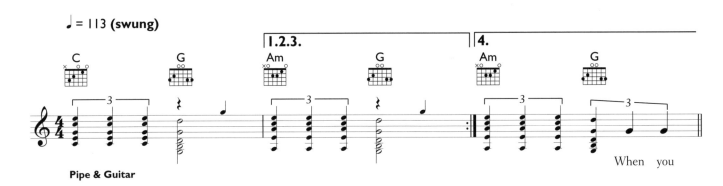

Pipe & Guitar

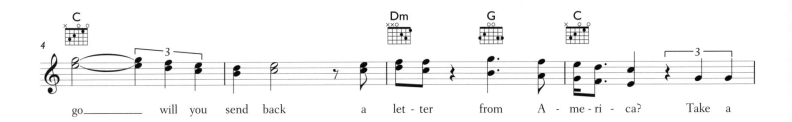

go_____ will you send back   a   let - ter   from   A - me - ri - ca?   Take a

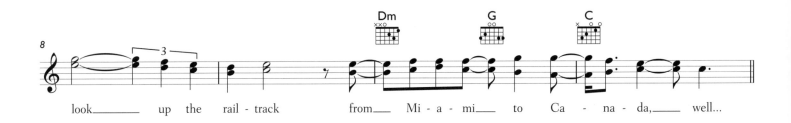

look_____ up the   rail - track   from___ Mi - a - mi___ to   Ca - na - da,___ well...

1. Broke off from my work_____   the o - ther   day,   spent the   e - ve - ning think - ing a - bout all___
2. I've looked at the o - cean,___   tried hard to i - ma - gine, the way you   felt__ the day you sailed from
3. I won - der my blood,_____   will you e - ver re - turn,   to help us   kick__ the life__ back to a

___ the blood that flowed a - way.   A - cross the o - cean___   to the se - cond chance.   I
Wes - ter Ross to No - va Scotia.   We should have held you,___   we should have told you, but you
dy - ing mu - tual friend..   Do we not love___ her?   I think we all clear - ly love her.

MAKE ME SMILE
(COME UP AND SEE ME)

Words and Music by Steve Harley

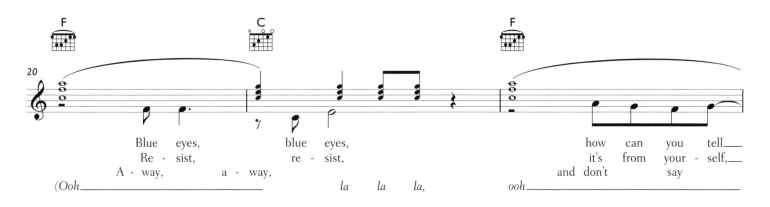

Blue eyes,   blue eyes,   how can you tell___
Re - sist,   re - sist,   it's from your - self,___
A - way,   a - way,   and don't say
(Ooh_____   la   la   la,   ooh_____

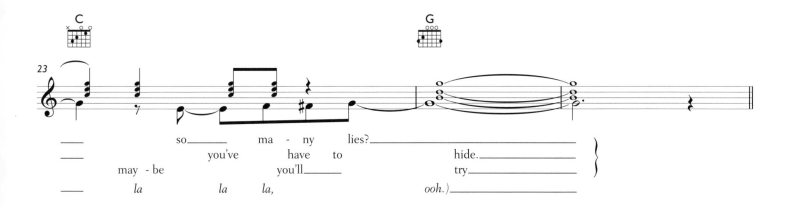

___ so___ ma - ny lies?_____
___ you've have to hide._____
may - be you'll___ try_____
___ *la   la   la,   ooh.)_____*

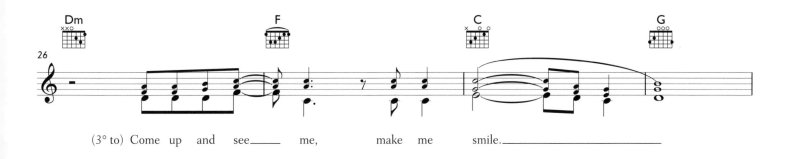

(3° to) Come up and see___ me,   make me   smile._____

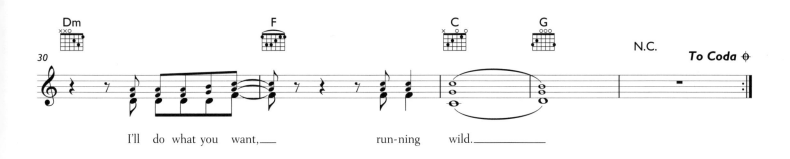

N.C.   **To Coda ⊕**

I'll do what you want,___   run - ning wild._____

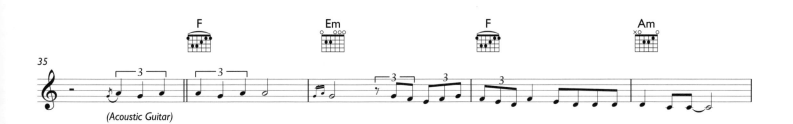

(Acoustic Guitar)

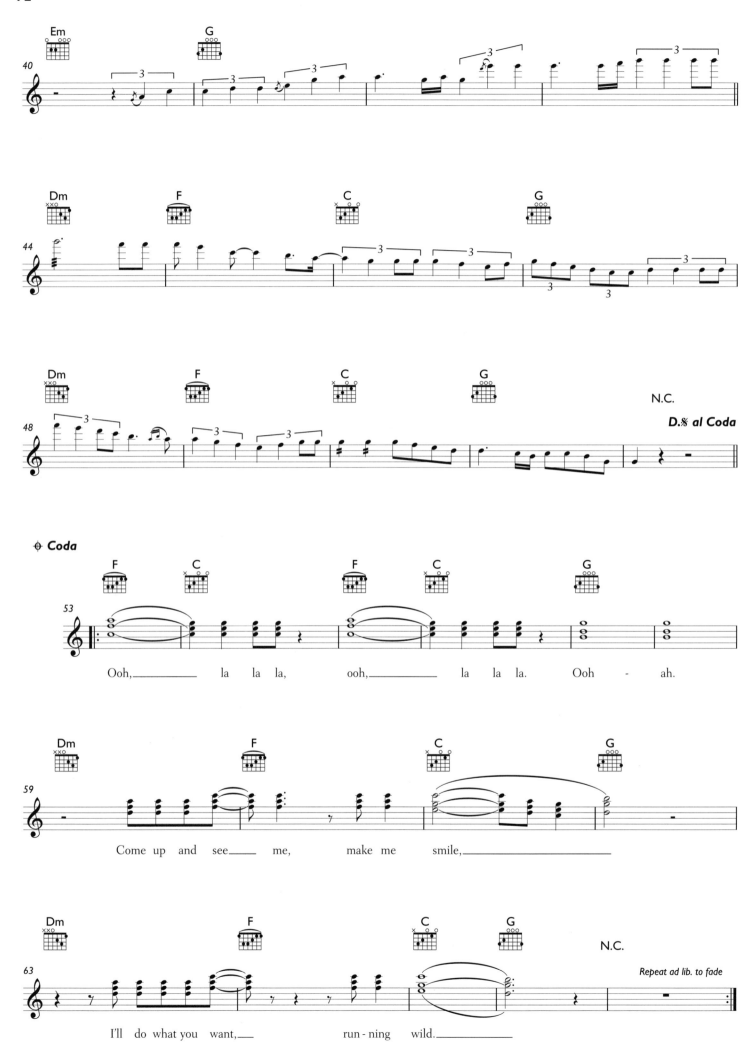

Ooh,_____ la la la, ooh,_____ la la la. Ooh - ah.

Come up and see_____ me, make me smile,_____

I'll do what you want,___ run - ning wild._____

MARLENE ON THE WALL

Words and Music by Suzanne Vega

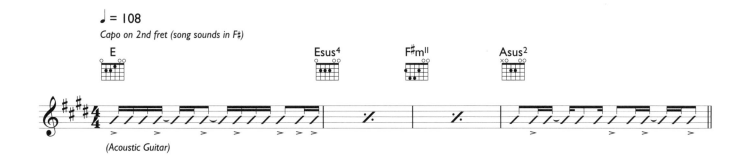

♩ = 108

Capo on 2nd fret (song sounds in F#)

(Acoustic Guitar)

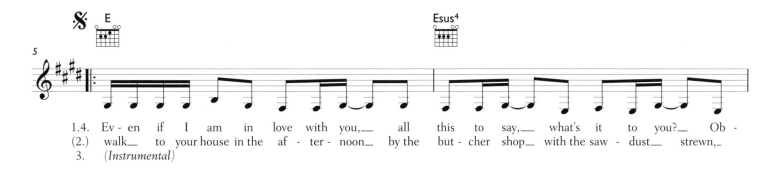

1.4. Ev - en if I am in love with you,__ all this to say,__ what's it to you?__ Ob -
(2.) walk__ to your house in the af - ter - noon__ by the but - cher shop__ with the saw - dust__ strewn,__
3. *(Instrumental)*

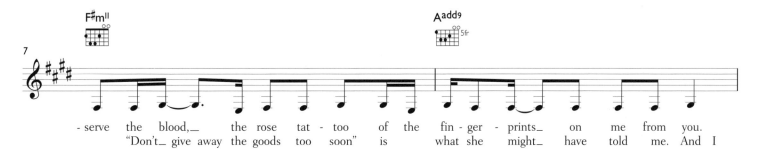

- serve the blood,__ the rose tat - too of the fin - ger - prints__ on me from you.
"Don't__ give away the goods too soon" is what she might__ have told me. And I

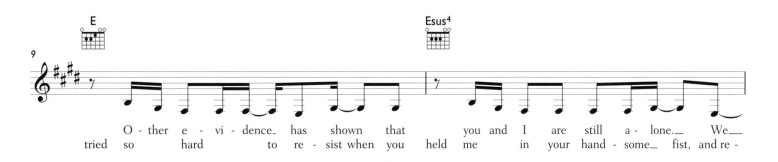

O - ther e - vi - dence__ has shown that you and I are still a - lone.__ We__
tried so hard to re - sist when you held me in your hand - some__ fist, and re -

To Coda ⊕

____ skirt a - round the dan - ger zone__ and don't talk a - bout__ it lat - er.
-mind - ed me of the night we__ kissed and of why I should be leav - ing.

(1 - 3.) Mar - le - ne wat ches from the wall,__ her mock-ing smile says it all,__ as she re - cords the rise__ and

fall of ev - 'ry sol - dier pas - sing. But the on - ly sol-dier now__ is me, I'm fight-ing things I can-not

see, I think it's called my__ des - ti - ny that I__ am chang - ing, Mar - le - ne on the wall.

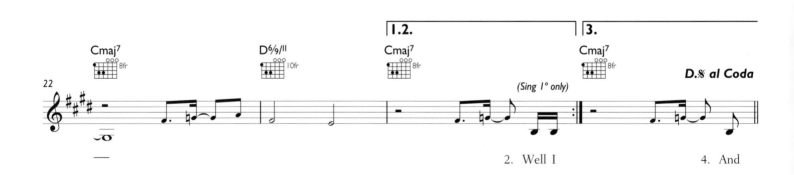

2. Well I   4. And

⊕ Coda

talk a - bout__ it lat - er. And I tried so hard to re-sist when you held me in__ your hand-some fist and re-

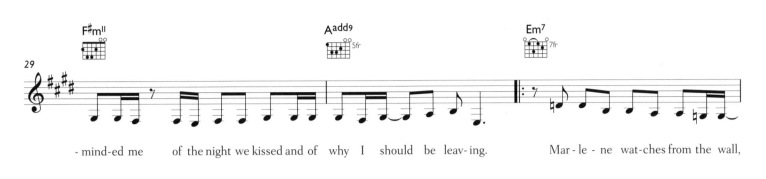

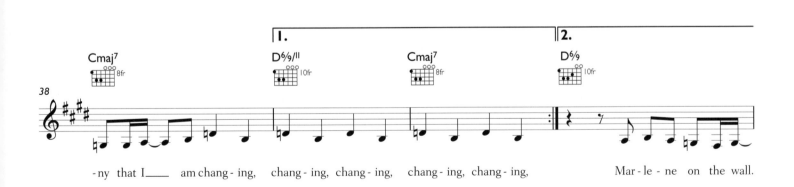

MORE THAN THIS

Words and Music by Brian Ferry

Original key G♭ major
Tune guitar down one semitone

♩ = 126

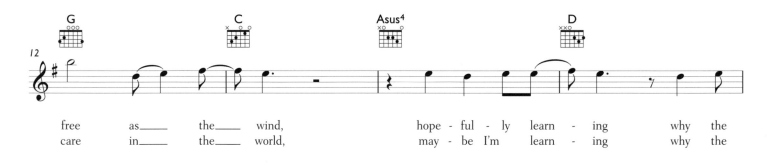

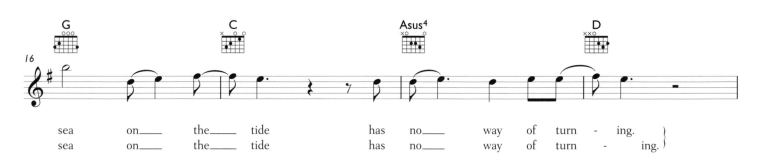

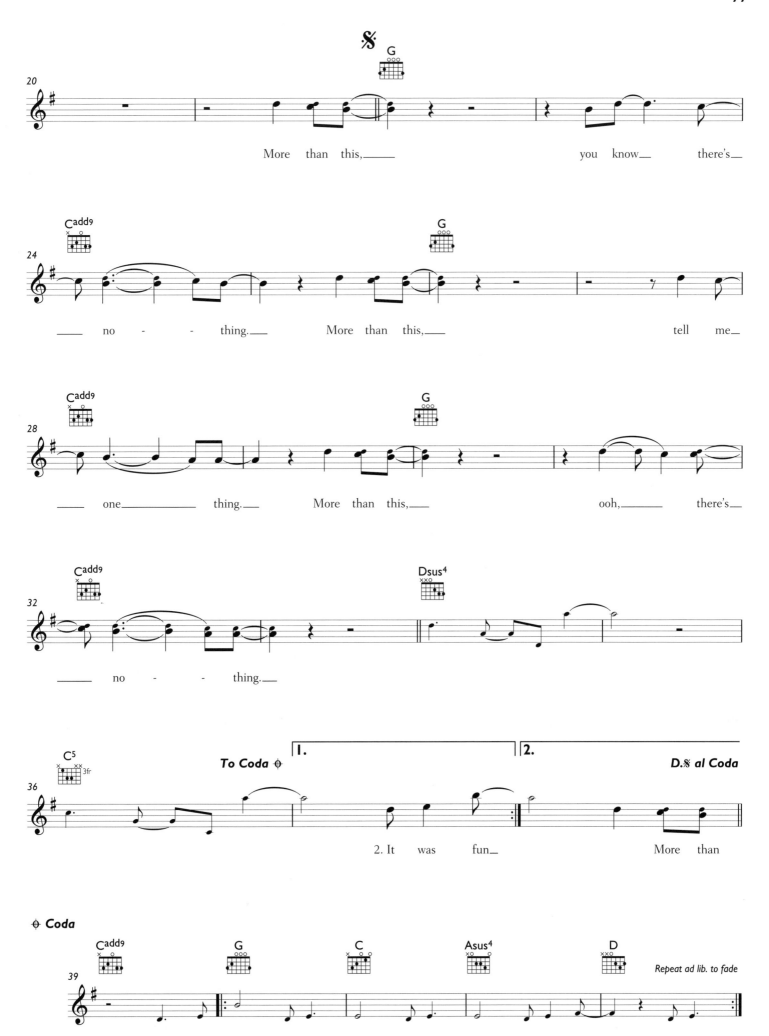

MUNICH

**Words and Music by Thomas Smith,
Christopher Urbanowicz, Russell Leetch and Edward Lay**

now,   you'll speak when you're spo - ken to.   With

one hand you calm me, with one   hand I'm still,   with

one hand you calm me, with one_____ hand I'm still.

Oh._____

You'll

1. speak when_ you're spo - ken to,_____   you'll speak when_ you're spoken to,____
2. speak when_ he's spo - ken to,_____   she'll

___   2. He'll   speak when_ she's spo - ken to._____

MONSTER

Words and Music by Robin Hawkins, James Frost,
Iwan Griffiths and Alexander Pennie

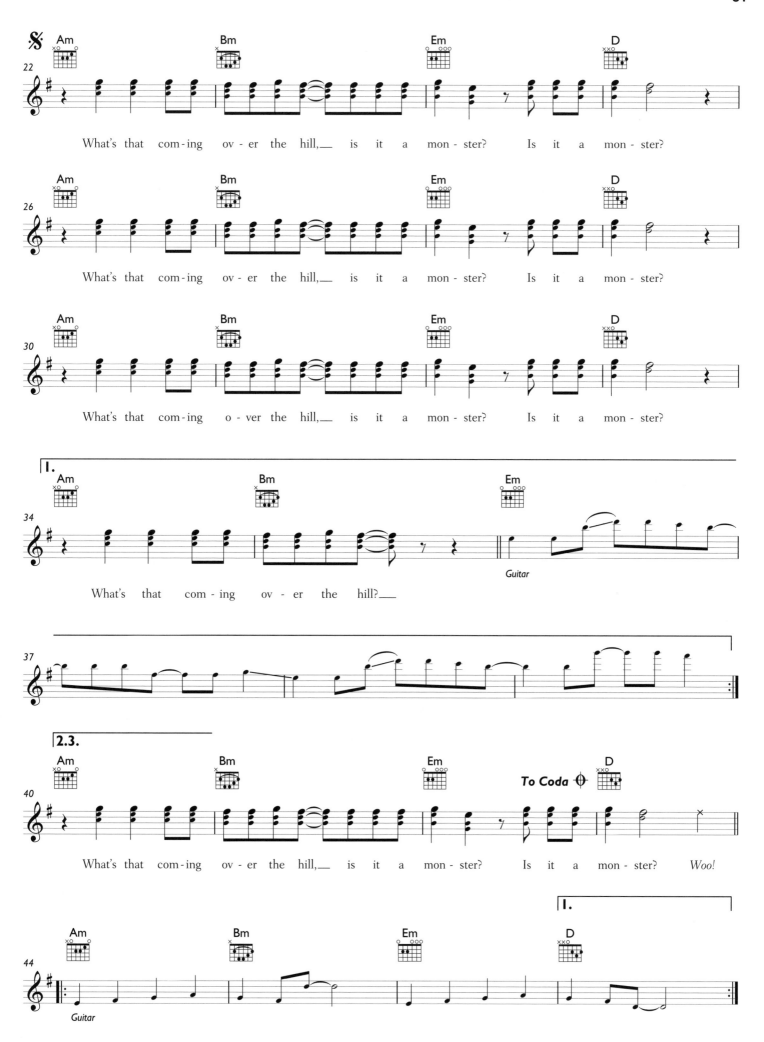

Wow!

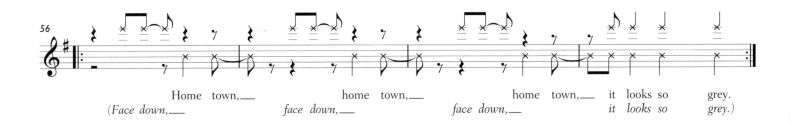

Home town,— home town,— home town,— it looks so grey.
(Face down,— face down,— face down,— it looks so grey.)

2° D.% al Coda

Face down,— home town,— face down,— home town,— face down,— home town— looks so grey.

Coda

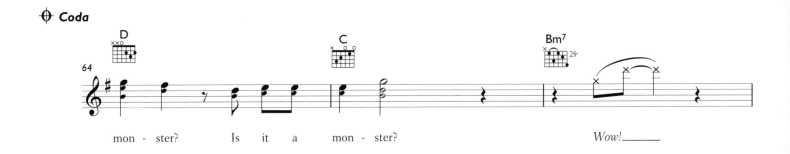

mon - ster? Is it a mon - ster? Wow!_____

NEVER FORGET YOU

**Words and Music by Shingai Shoniwa, Dan Smith,
James Morrison, George Astasio and Jason Pebworth**

I__ bor-rowed your sil - ver boots, now if you'd just let me give them back to you.__

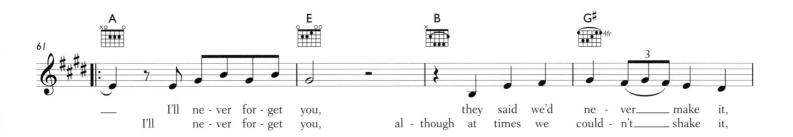

__ I'll ne - ver for-get you, they said we'd ne - ver__ make it,
I'll ne - ver for-get you, al - though at times we could - n't__ shake it,

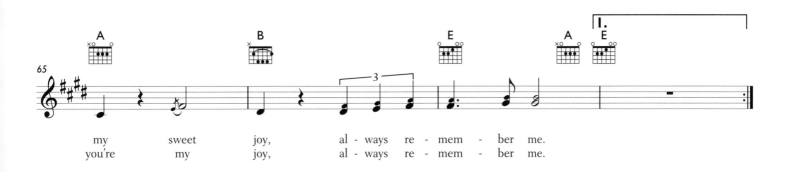

my sweet joy, al - ways re - mem - ber me.
you're my joy, al - ways re - mem - ber me.

Don't you know that you're my joy, al - ways re -

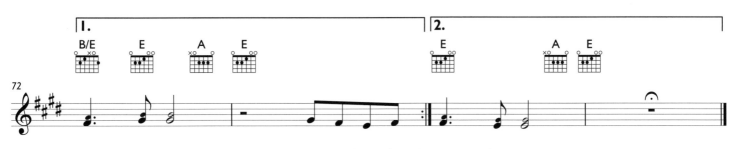

- mem - ber me. Don't you know that -mem - ber me.

ONE WAY

Words and Music by Simon Friend, Charles Heather,
Mark Chadwick, Jonathan Sevink and Jeremy Cunningham

OUR HOUSE

Words and Music by Christopher Foreman and Cathal Smyth

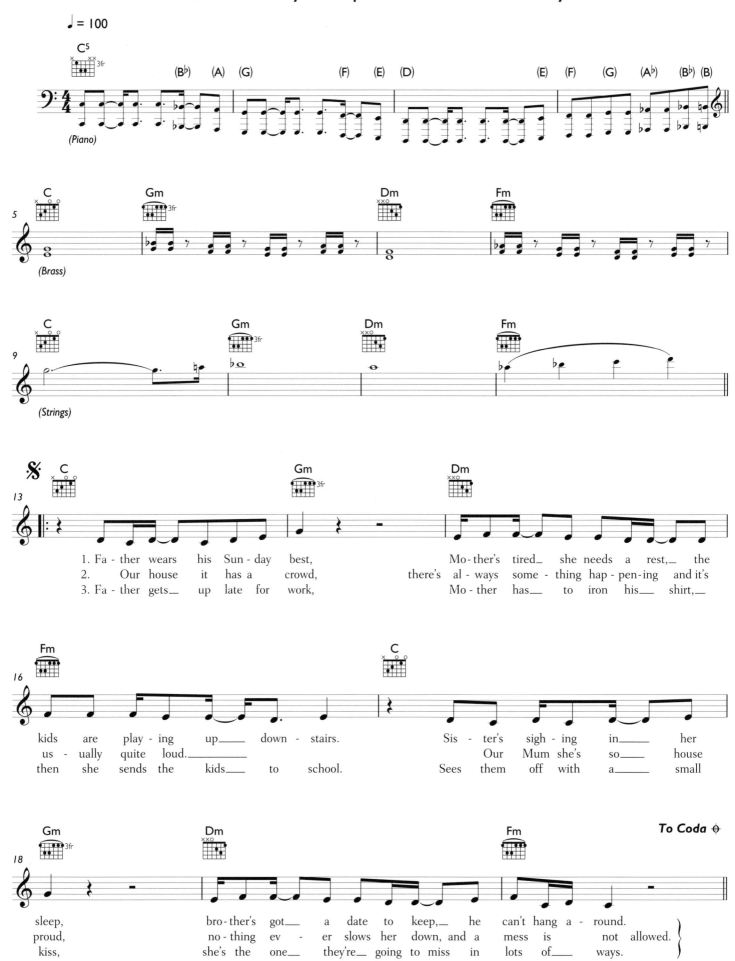

PERFECT DAY

Words and Music by Lou Reed

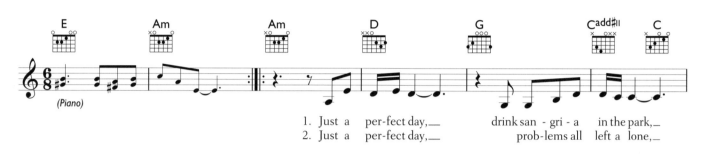

1. Just a per-fect day,__ drink san - gri - a in the park,__
2. Just a per-fect day,__ prob-lems all left a lone,__

and then lat - er, when it gets dark we go home.
week-enders on our own,__ it's such fun.

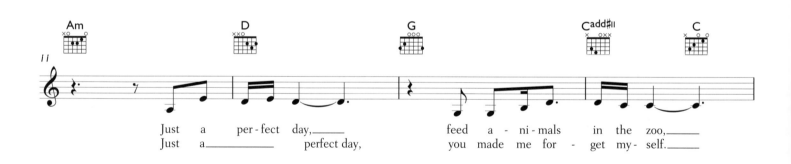

Just a per-fect day,__ feed a - ni-mals in the zoo,__
Just a__ perfect day, you made me for - get my- self.__

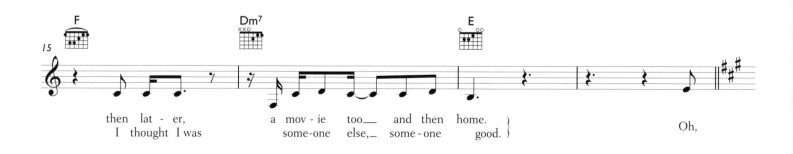

then lat - er, a mov - ie too__ and then home.
I thought I was some-one else,_ some - one good.

Oh,

It's such a per-fect day,___ I'm glad I spent it with you, oh, such a

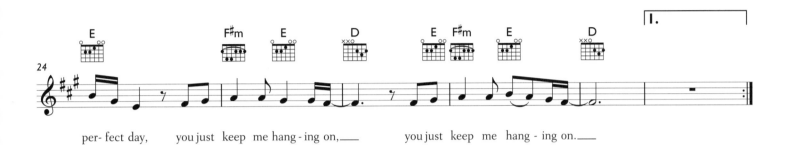

per-fect day, you just keep me hang-ing on,___ you just keep me hang-ing on.___

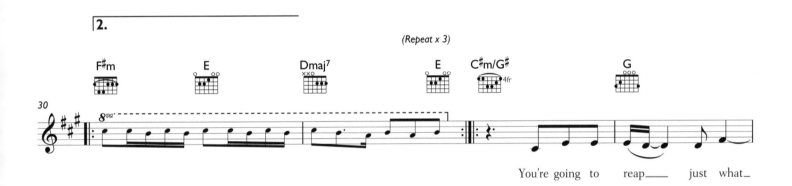

(Repeat x 3)

You're going to reap___ just what___

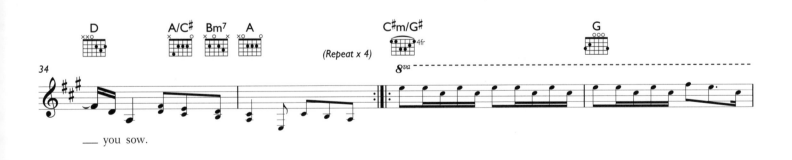

___ you sow.

(Repeat x 4)

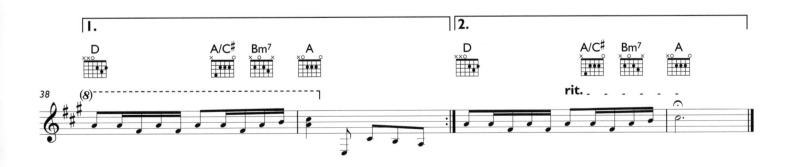

rit.

PENCIL FULL OF LEAD

Words and Music by Paolo Nutini

One,   one, two, three, four...   cont sim.

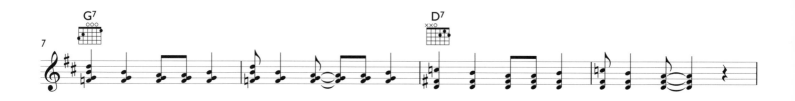

1. Oh,_____ I got a

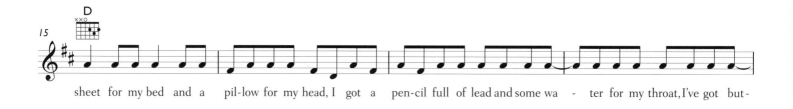

sheet for my bed and a   pil-low for my head, I got a   pen-cil full of lead and some wa - ter for my throat, I've got but-

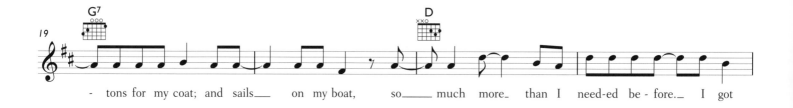

- tons for my coat; and sails___ on my boat,   so___ much more_ than I need-ed be - fore._   I got

PLACE YOUR HANDS

Words and Music by Gary Stringer, John Bessant,
Dominic Greensmith and Kenwyn House

PLEASE DON'T LEAVE ME

Words and Music by Alecia Moore and Max Martin

Corinne Bailey Rae

PUT YOUR RECORDS ON

Words and Music by Steven Chrisanthou, John Beck and Corinne Bailey Rae

RABBIT HEART (RAISE IT UP)

Words and Music by Florence Welch, Paul Epworth, Brian DeGraw, Joshua Deutsch, Elizabeth Bougatsos and Tim Dewit

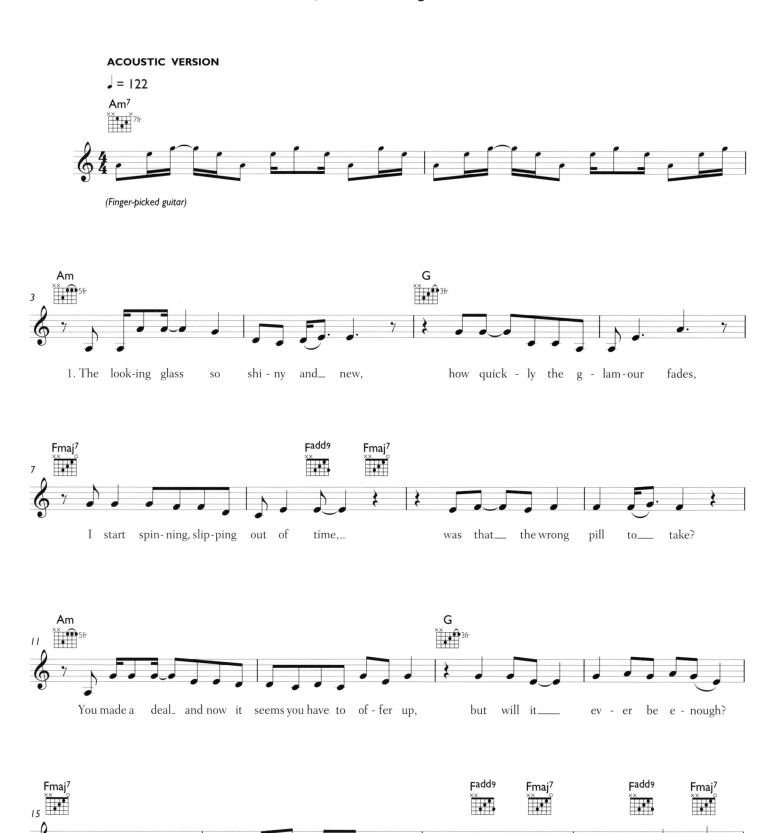

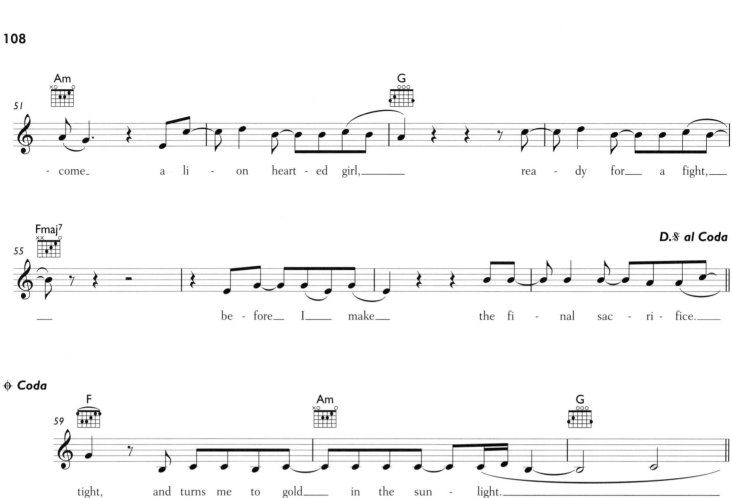

- come a li - on heart - ed girl,_____ rea - dy for a fight,_____

D.𝄉 al Coda

be - fore_ I__ make__ the fi - nal sac - ri - fice._____

⊕ **Coda**

tight, and turns me to gold__ in the sun - light._____

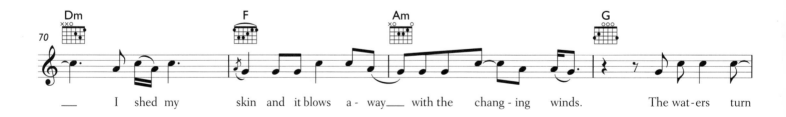

_____ (Guitar break)

And in the spring,

__ I shed my skin and it blows a - way__ with the chang - ing winds. The wat - ers turn

__ from blue to red, as to - wards the sky__ I of - fer it._____ This is a gift,

it comes with a price,__ who__ is the lamb__ and__ who__ is the knife?__ And Mi-das is King

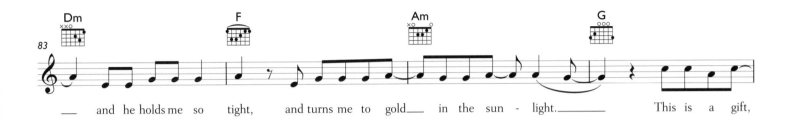

__ and he holds me so tight, and turns me to gold__ in the sun - light.__ This is a gift,

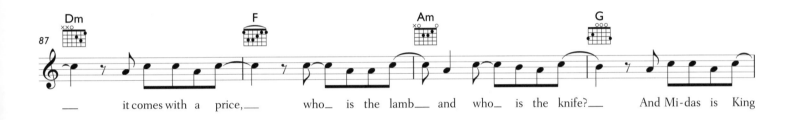

__ it comes with a price,__ who__ is the lamb__ and who__ is the knife?__ And Mi-das is King

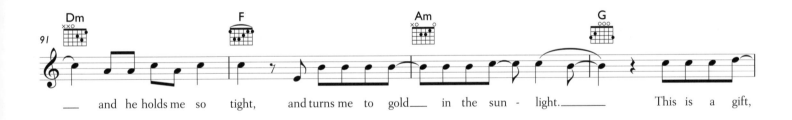

__ and he holds me so tight, and turns me to gold__ in the sun - light.__ This is a gift,

__ it comes with a price,__ who__ is the lamb__ and__ who__ is the knife?__ And Mi-das is King

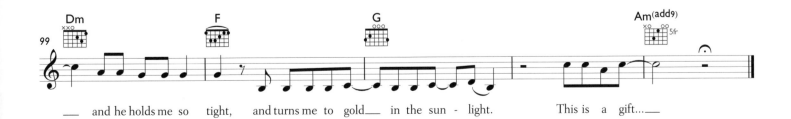

__ and he holds me so tight, and turns me to gold__ in the sun - light. This is a gift....__

SAY HELLO WAVE GOODBYE

Words and Music by Marc Almond and David Ball

1. Stand-in' at the door of the pink_ Fla-min-go, cryin' in the rain._

It was a kind_ of so - so love_ and I'm gon-na make sure it does-n't hap-pen a-gain._

(1.) You and I_____ had to be_ the stand-ing joke_ of the year._
2. Un-der the deep red light, I can see the make-up slid - in' down.   Well,

You were a run-a-round, a lost_ and found and not for me,_ I feel._
hey, lit-tle girl,_ you will al - ways make_ up_ so take off_ that un - be - coming frown.

SEWN

Words and Music by Dan Gillespie Sells and The Feeling

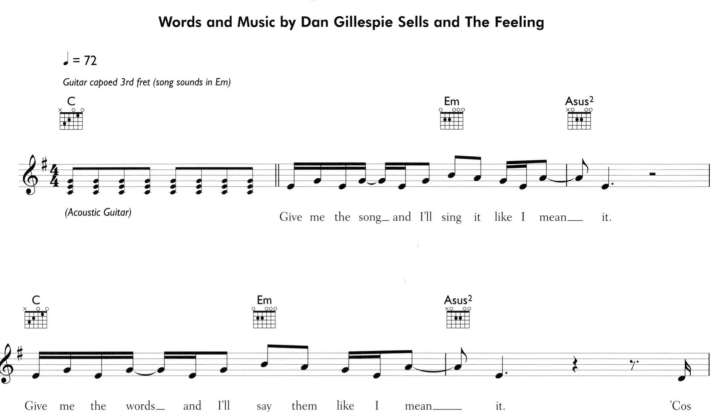

Give me the song__ and I'll sing it like I mean__ it.

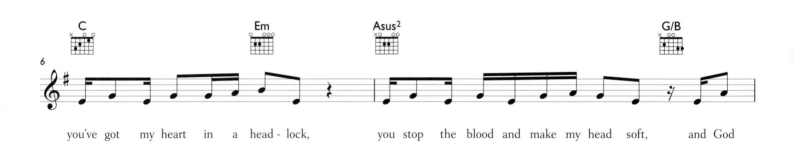

Give me the words__ and I'll say them like I mean____ it. 'Cos

you've got my heart in a head-lock, you stop the blood and make my head soft, and God

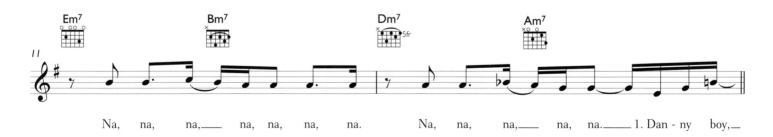

knows, you've got me sewn. Na, na, na,__ na, na, na, na. Na, na, na,__ na, na, na, na.

Na, na, na,____ na, na, na, na. Na, na, na,__ na, na.____ 1. Dan-ny boy,__

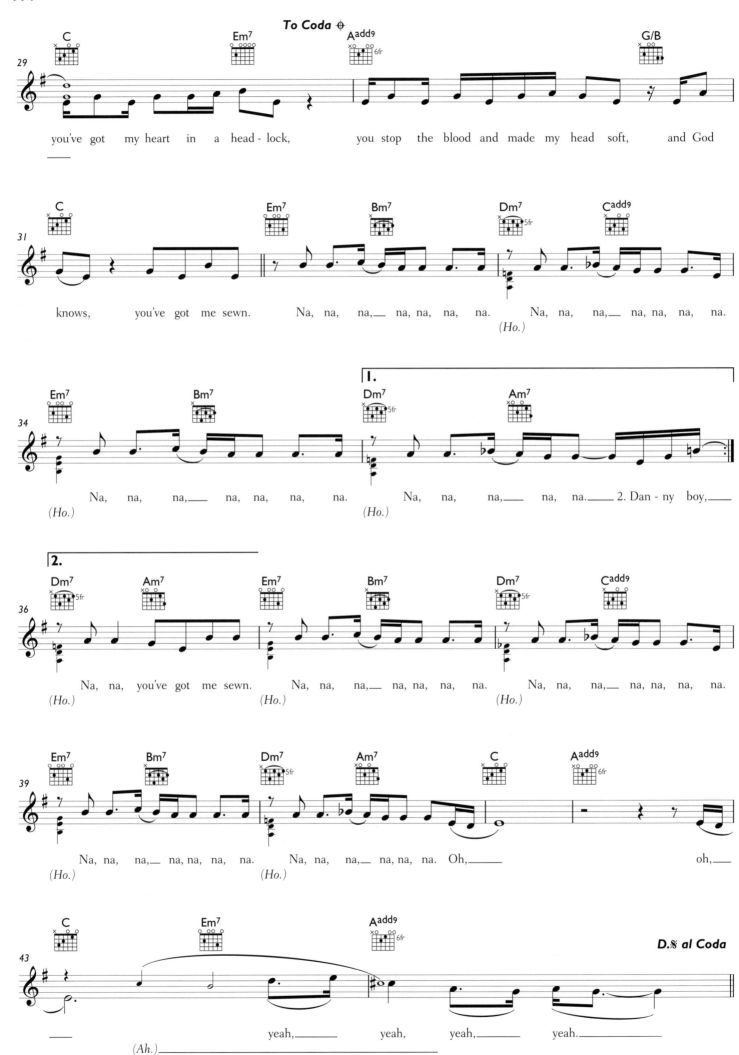

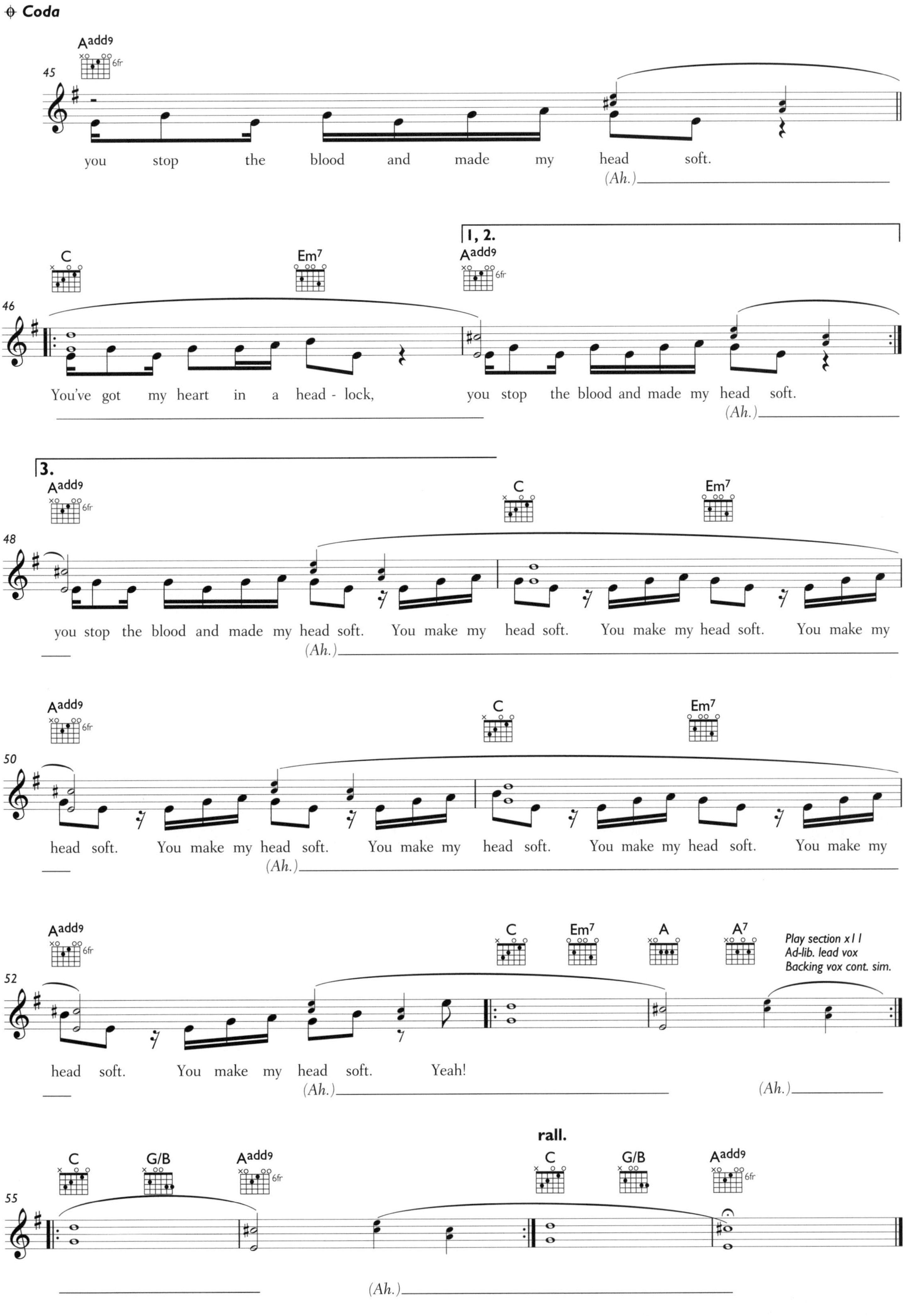

Coda
Aadd9
6fr
45
you stop the blood and made my head soft.
(Ah.)
C
Em7
1, 2.
Aadd9
46
You've got my heart in a head - lock,
you stop the blood and made my head soft.
(Ah.)
3.
Aadd9
C
Em7
48
you stop the blood and made my head soft. You make my head soft. You make my head soft. You make my
(Ah.)
Aadd9
C
Em7
50
head soft. You make my head soft. You make my head soft. You make my head soft. You make my
(Ah.)
Aadd9
C
Em7
A
A7
Play section x11
Ad-lib. lead vox
Backing vox cont. sim.
52
head soft. You make my head soft. Yeah!
(Ah.)
(Ah.)
rall.
C
G/B
Aadd9
55
(Ah.)

SOMEDAY

Words and Music by Julian Casablancas

STARRY EYED

Words and Music by Jonny Lattimer and Ellie Goulding

SHE'S SO LOVELY

Words and Music by Roy Stride

THAT'S NOT MY NAME

Words and Music by Julian De Martino and Katie White

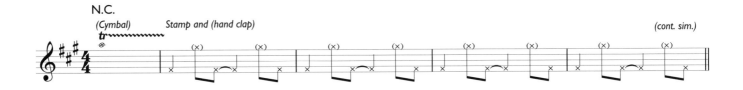

1. Four let-ter word just to get me a-long,_ it's a dif-fi-cul-ty and I'm bit-ing on my tongue, and
2. I miss the catch when they throw me the ball,_ I'm the last drip standing up a-gainst the wall,_ keep

I keep stall-ing, keep-ing it to-geth-er, peo-ple a-round I got-ta find some-thing to say, now.
fall-ing, these heels_ that keep me bor-ing, getting clamped up and sit-ting on the fence, now.

Hold-ing back ev-'ry day the same, don't_ wan-na be a lon-er, lis-ten to me, oh,_ no,
So a-lone all the time and I_____ lock_ my-self a-way,_ lis-ten to me, oh,_ no,

I nev - er say an - y - thing at____ all,____ so with no -thing to con - sid - er they for -
though I'm dressed up,____ out____ 'n all, with ev - 'ry - thing con - sid - ered they for -

- get my_____ } name,____ name, name, name... They call me
- get my_____ }

Hell, they call me Sta - cey,____ they call me "her",_____ they call me Jane,_____ that's not my

name, that's not my name, that's not my name, that's not my____ name... They call me

qui - et,____ but I'm a RI - OT,____ Mar - y - Jo - Li - sa,____ al - ways the same, that's not my

name, that's not my name, that's not my name, that's not my____ name...

TAINTED LOVE

Words and Music by Ed Cobb

THIS IS THE LIFE

Words and Music by Amy Macdonald

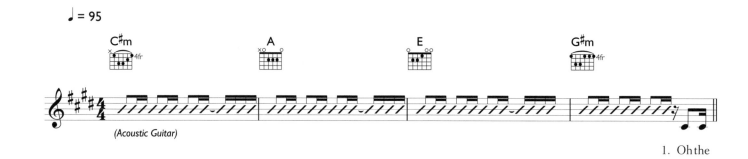

(Acoustic Guitar)

1. Oh the

wind   whis-tles   down   the   cold,   dark   street   to-night,   and the
(2.) head-ing down the road in your ta-xi for four, and you're wai-ting out-side   Jim-my's front door   but

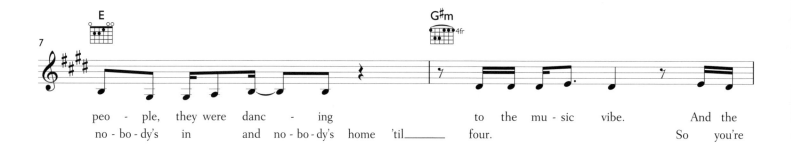

peo-   ple,   they were   danc-   ing   to   the   mu-sic   vibe.   And   the
no-bo-dy's   in   and no-bo-dy's home 'til_____   four.   So   you're

boys chase the girls with the curls in their   hair,_   and the   shy, tor-ment-ed youth   sit a-way ov-er   there, and the songs_
sit-ting   there   with   no-thing to do, talking a-bout   Ro-bert Ri-ger and his mot-ley   crew_   and

__ they   get loud-   er,   each   one   bet-ter than be-   fore.
where you gon-na   go   and where you gon-na sleep to-night?_   And you're sing-ing the songs,_

TRUE

Words and Music by Gary Kemp

(Ah, ah, ah, ah,___ ah...)

1. So true... fun-ny how it seems... al-ways in time, but nev-er in line for dreams.
2. With a thrill in my head_____ and a pill on my___ tongue, dissolve the nerves that have just be-gun,___

___ Head o-ver heels,___ when toe to toe, } this is the sound_____ of my soul,
___ list-'ning to Mar-vin all night long,

___ this is the sound.___ {I bought a tick-et to the world,_____
al-ways slip-ping from my hands,___

but now I've come back a-gain.___ Why do I find it hard to
sand's a time of its own.___ Take your sea-side arms and

write the next___ line?___ when I want the truth to be said... }
write the next___ line,___ oh, I want the truth to be known... }

TIE ME KANGAROO DOWN SPORT

Words and Music by Rolf Harris

TIME IS RUNNING OUT

Words and Music by Matt Bellamy, Chris Wolstenholme and Dominic Howard

TUBTHUMPING

**Words and Music by Nigel Hunter, Duncan Bruce, Darren Hamer,
Anne Holden, Louise Watts, Allan Whalley, Paul Greco and Judith Abbott**

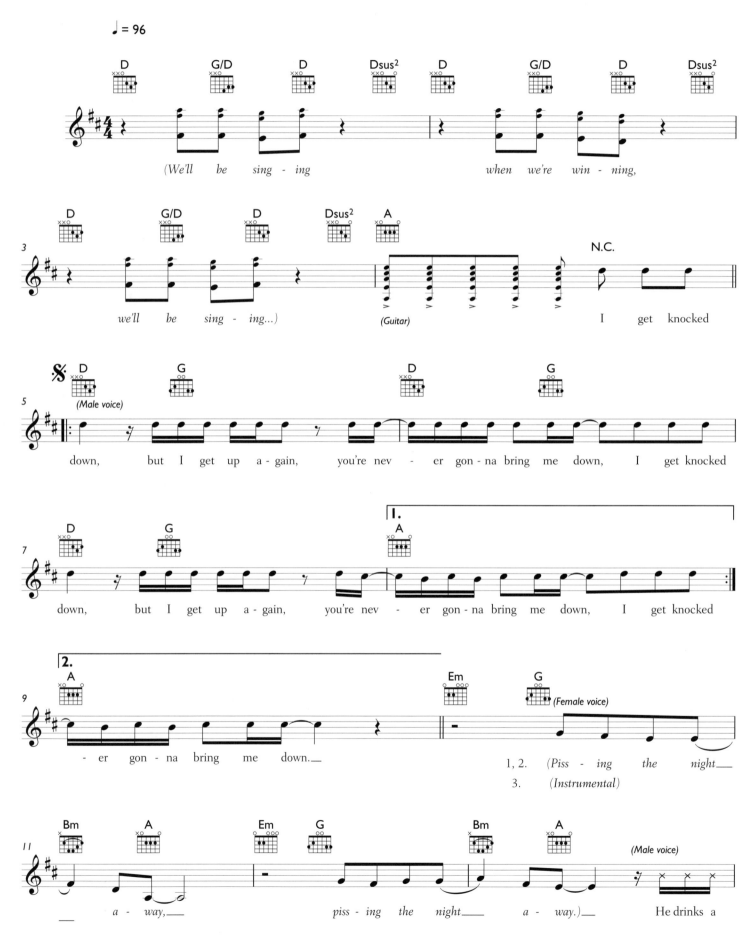

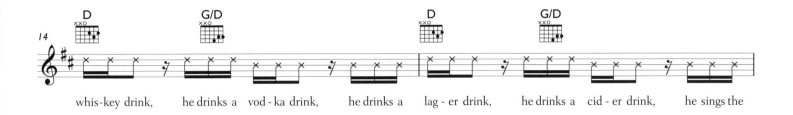

whis-key drink, he drinks a vod-ka drink, he drinks a lag-er drink, he drinks a cid-er drink, he sings the

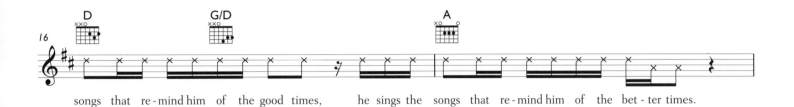

songs that re-mind him of the good times, he sings the songs that re-mind him of the bet-ter times.

Back to %1° & 2°
3° continue to Coda ⊕

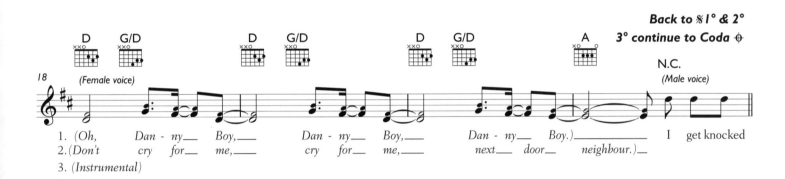

1. (Oh, Dan - ny___ Boy,___ Dan - ny___ Boy,___ Dan - ny___ Boy.)___ I get knocked
2. (Don't cry for___ me,___ cry for___ me,___ next___ door___ neighbour.)___
3. (Instrumental)

⊕ **Coda**

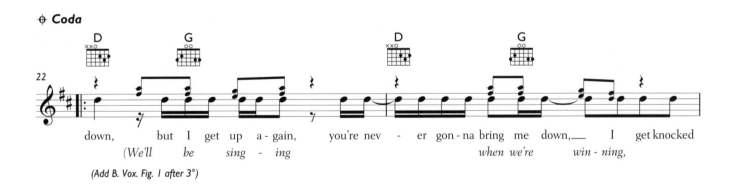

down, but I get up a-gain, you're nev - er gon-na bring me down,___ I get knocked
(We'll be sing - ing when we're win - ning,
(Add B. Vox. Fig. 1 after 3°)

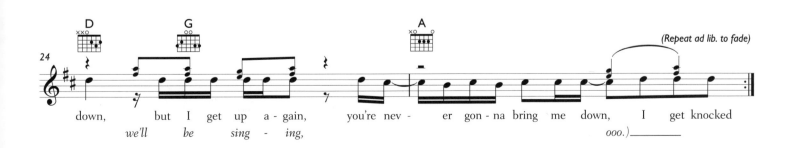

(Repeat ad lib. to fade)

down, but I get up a-gain, you're nev - er gon-na bring me down, I get knocked
we'll be sing - ing, ooo.)___

VALERIE

**Words and Music by Dave McCabe, Sean Payne,
Abigail Harding, Boyan Chowdhury and Russell Pritchard**

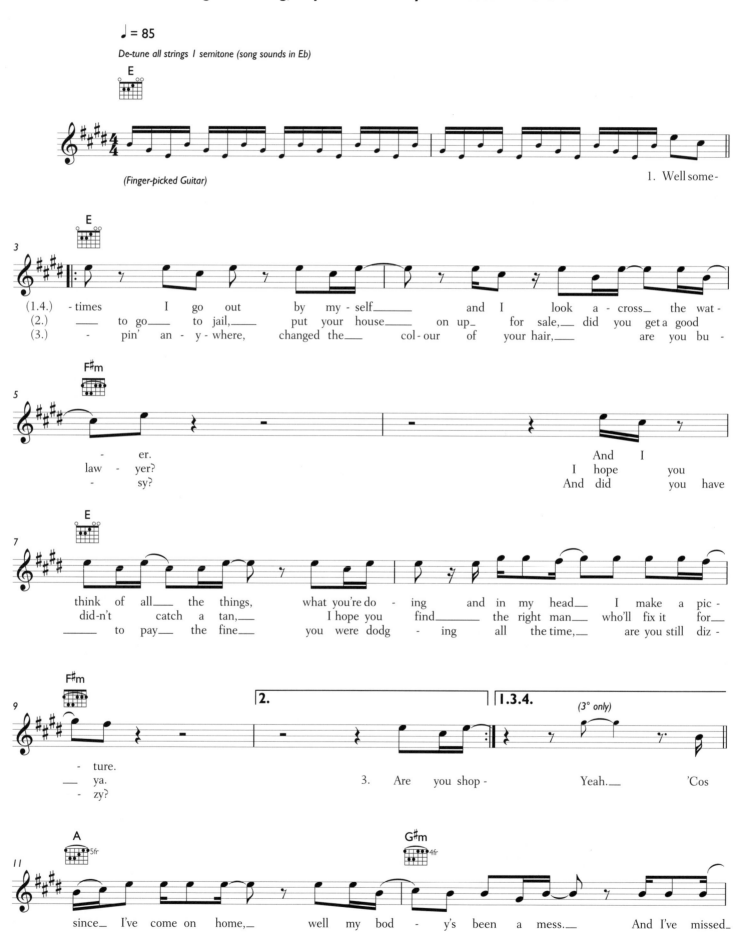

WAKE UP

**Words and Music by Win Butler, Regine Chassagne,
Tim Kingsbury, William Butler and Richard Parry**

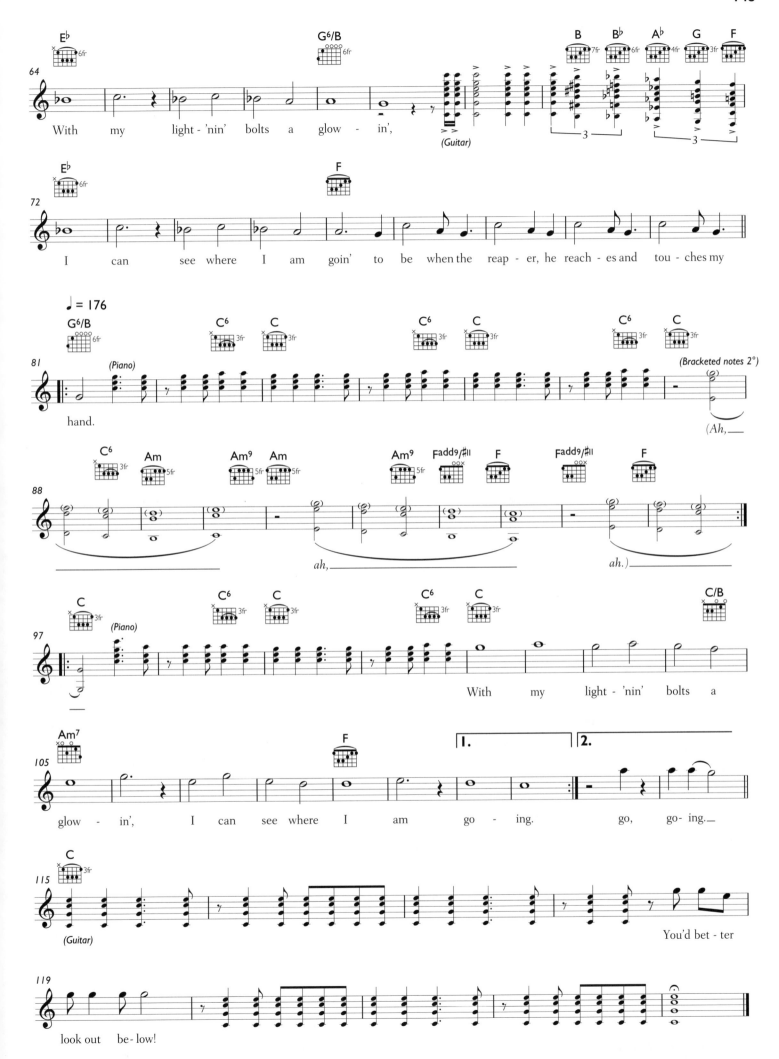

WALK ON THE WILD SIDE

Words and Music by Lou Reed

1. Hol-ly came from Mi-a-mi, F.-L.-A., _____ hitch-hiked her way a - cross the U.-S.-A._
2. Can-dy came_ from out_ on the island, in the back - room she was ev'ry-bo-dy's dar-
3. Lit-tle Joe nev-er once gave it a - way, ev-'ry-bo-dy_ had to pay and pay.
4. Sug-ar plum fai-ry came and hit_ the streets,_ looking for_ soul food_ and a place to eat.
5. Jack-ie is_ just_ speed-ing away,_ thought she was_ James Dean_ for a day.

_____ ling.
Plucked her eye - brows on_ the way, shaved her legs_ and then he was a she, she says:
But she nev - er lost_ her head ev - en when she was giv-ing head,_ she says:
A hus - tle here_ and a hus-tle, there, New York Ci - ty is the place where they said:
Went to_ the_ A - pol - lo, you should have seen_ him_ go, go, go,_ they said:
Then I guess she had_ to crash, Va - li - um_would have helped that bash,she said:

1-3. "Hey, babe, }
4, 5. "Hey, sugar, } take a walk on the wild_ side," said: "hey, hon-ey, take a walk on the wild

1, 3, 4.

_ side." *(Double Bass & Guitar)*

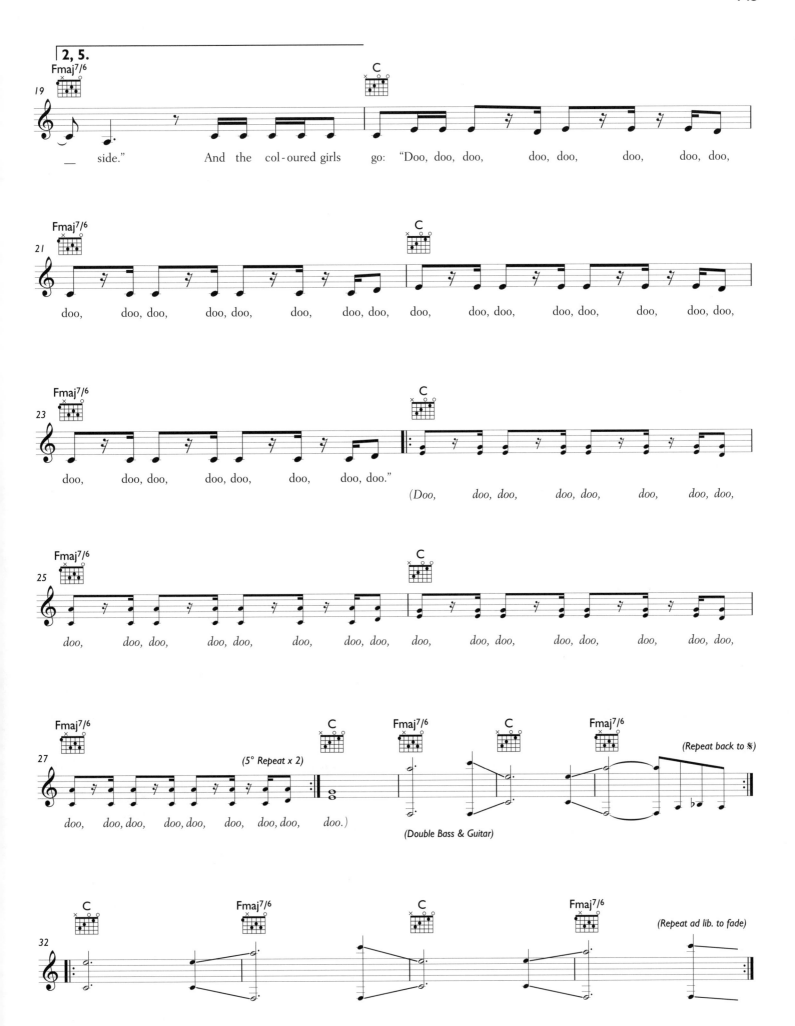

WATERLOO SUNSET

Words and Music by Ray Davies

WE STILL GOT THE TASTE DANCIN' ON OUR TONGUES

Words and Music by Tom Fleming, Christopher Talbot, Ben Little and Hayden Thorpe

UPRISING

Words and Music by Matthew Bellamy

Lyrics:

1. Pa - ra - noi - a is in bloom, the P. R. trans - mis - sions
2. In - ter - chan - ging mind con - trol, come let the re - vo - lu - tion

will re - sume, they'll try to push drugs that keep us all dumbed down and hope that we will nev - er see the
take its toll, if you could flick the switch and open your third eye, you'd see that we should nev - er be a -

truth a - round. (*So come on.*)
An - o - ther prom - ise, an - o - ther seed, an - o - ther

-fraid to die.
Rise up and take the pow - er back, it's time the